NA hAIRD Ó THUAIDH

PÁDRAIG UA MAOILEOIN

Na
hAird
Ó Thuaidh

TOMÁS Ó MUIRCHEARTAIGH

A THÓG NA PICTIÚIRÍ

SÁIRSÉAL AGUS DILL
BAILE ÁTHA CLIATH

An Chéad Chló 1960

NA PICTIÚIRÍ

NA hAIRD Ó THUAIDH

AN SPEIR THALÚN a shíneann amach sa bhfarraige ó Thráigh Lí las-
tuaidh agus ó Chaisleán na Mainge laisteas go mbuaileann sí Ceann
Dúin Mhóir thiar in imeall na gcos ages na Blascaodaí, sin é Corca
Dhuibhne agat. Ag rith tríd siar tá cnámh droma de shléibhte
maorga diamhaire a dheineann dhá leath dhe, an Leitriúch las-
tuaidh agus Duibhneach laisteas. Críchdheighilt í seo comh docht
agus atá in Éirinn, an té a ghéillfeadh dóibh féin. Ach ná tabhairse
aon toradh orthu. Is aon dream amháin iad, agus má theastaíonn
deimhniú an scéil uait fiafraigh d'éinne acu cad as é, agus bíodh
geall gurb 'ón nDaingean' a déarfaidh sé leat.

Is ait, agus is lán-ait, leatsa an freagra so, gan dabht. Ach cuimh-
nigh gurb í tuath an Daingin í seo ar fad, rud a thagann anuas ón
seanreacht agus atá sa tsmúsach ages na daoine seo gan fhios dóibh
féin. Is í an tuath atá i gceist ag an té atá ag labhairt leat, mar is áit
eile ar fad é baile an Daingin. Tá an fothdhuine ann, dar ndóigh,
agus nuair a déarfaidh sé é seo leat ní móide rud de ná gur d'iarraidh
tu a chur amú a bheidh sé, mar dhe go dtuigfeá nach cábóg é ach
sráideánach. Ach scraistí iad so atá ag dul i dteirce leis an aimsir.
Do bhí an t-am ann, agus dá mbuailfeadh fear ón dtuaith ar shráid-
eanna an bhaile leat nár mheasa dhuit méar a chur ina shúil ná
cábóg a thabhairt air. Tá a rian air, is focal é ná maireann sa
teangain lasmuigh den mbaile, áit a raibh a chúram féin do, gan
dabht, le tuaradh in am an ghátair.

Ach is eatarthu féin atá ina leithéid seo, agus coinnighse siar
uathu. Mar is Spáinnéaraigh chríochnaithe an dream úd, agus
seachain ar eagla gurb í an fhuil uasal dúghorm úd a dh'éireodh in
uachtar acu. An b'an a deirir liom ná raibh a fhios agat a leithéid
a bheith iontu? Bhuel, bíodh a fhios agat anois é, agus ar do chluais
ná téir ina hiontaoibh. Mar níl éinne ón dtaobh tíre sin ná go raibh

Cabhaint Spáinneach ar dhuine dá shín-seanathracha, gach aon lá riamh ó deineadh ciollaracha den Armada thiar amuigh ar bhléantacha Dhún an Óir fadó. Ní hé seo ach é siúd, áfach: mar a dúirt fear na sáile teinne, 'bímíst ag súgradh ach seachnaímís sála a chéile.' Idir mhagadh agus dáiríre a bhímídne i gcónaí sa chúram so, ach is é an fear bradach a thiocfadh eadrainn, agus má tá eireaball ár gcasóige ar an dtalamh féin ná satail uirthi, nó ort féin bíodh, mar ní dhuit í. 'Gaoth aniar,' a déarfadh fear Thráigh Lí leis an gcainnt seo, ach pé luid den ngreann a bhí fágtha ansúd is fadó riamh súite ag an urbánachas as é. Dream eile ar fad an dream thiar.

Agus, ós ag caint air é, cad é mar shórt daoine iad an dream thiar? 'Beannaím uam siar sibh,' a dúirt Naomh Pádraig leo, agus cad ab áil liom ag cainnt go maidean? Ach dob fhada ó bhaile an beannachadh é, agus ba shaoráideach.

'N'fheadar ab eagla éigin a bhí air romhainn 's a rá nár tháinig sé inár measc,' ars an Cárthach, m'úncail, aon lá amháin le Seán Ó Mainnín. Leámharaic ceart ab ea an Cárthach, fear cleas agus córdaí, trasnálaí, scoláire tuatha, ach fear nár tháinig aon drochfhocal as a bhéal riamh. Ní déarfadh sé 'Ambaiste' féin, ach nath eile a bhí aige féin ina ionad, 'Anaiste.' Ní hé gach éinne a raghadh i dtreis focal agus argóna leis, ach fear ná beadh róbhuíoch de féin ina dhiaidh.

Righneadóir ab ea Seán Ó Mainnín, cuma an leathamadáin air, é bolgshúileach, giorraradhairceach. Téarma tugtha ins na Stáit aige ionas gur thug sé an t-am anall leis. Mílseáin á thabhairt abhaile go dtís na mná óga aige aon lá a raghadh sé thar baile amach, ach n'fheadarsa ar chuaigh sé riamh níos giorra ná san d'éinne acu, ach go n-íosfadh cat ciúin fáideog, mar a deirtear. Ach pé cúram a bhíodh aige dhóibh, do bhídíst ag teacht aige, agus é á riar go hardnósach ar na budóga. Pé cuma nó teist a bhí ar Sheán mar seo, áfach, ní raibh aon oidhre ar shlite eile air ach asal go mbeadh bradaíocht ann. Nuair a thiocfá air de dhroim a chúil, do thabharfá an leabhar breac go raibh an dá shúil úd ag féachaint ort fé mar dá mbeidíst ar gach taobh dá cheann ar nós an asail.

'Nár dhiail an obair do gan teacht?' a dúirt an Cárthach arís.

'Lig dom féin leis na daoine seo,' arsa Bolgshúil, 'níl aon léamh orthu inniu is a rá go mbeadh aon léamh an uair úd orthu. Conas a bhainfeadh Pádraig ná éinne eile aon cheart de leithéid Sheáin Uí Shé ná Phaid Stail?'

'Ar mhaithe leis féin a dh'fhan sé glan dóibh, mar sin?' a dúirt an Cárthach.

'Cad eile a dhiabhail,' arsa Bolgshúil.

'Nach maith mar do ghlacadar lena theagasc ina dhiaidh san agus uile?'

'Do ghlacadar agus níor ghlacadar. Deinimse amach gurb é a gcreidcamh féin atá anso tímpcall acu—ligse liúmsa agus ligfeadsa leatsa.'

'Ach nach cuid den gcreideamh é sin?' a dúirt an Cárthach.

'Sea, más ea, ach nach breá gur 'liúmsa' a chaithfear ligeant ar dtúis. Má thugann tusa creideamh air sin, tabhair agus bíodh agat. Dá gcífeá na daoine seo nuair a théann siad sall i measc na ndaoine síbhialta cearta mar do chonacsa lem dhá shúil féin iad . . .' Bhí ardmhcas agc Seán ar an gcultúr agus ar na nithc go léir a chonaic sé thall, cé gur lag é a thuiscint air, ach san am chéanna ní bheadh a fhios agat cathain a bheadh sé dáiríribh nó d'aonghnó.

Le linn an méid sin a bheith ráite aige, cé gheobhadh an treo chúchu ach Bríde Bhán, agus í ar scaradh gabhal ar mhuin a hasail. Dob í Bríde an bhean ba dhóchúla ar an mbaile, agus ní chuirfinn a mhalairt fé thuairim Sheáin féin ná go mbíodh sé ag bolathaíl tímpeall uirthi. Fainge fionn gléigeal de bhean rábach fuinniúil **ab** ea Bríde, colpa maith fúithi agus í lán de theaspach dearg éigin gur dhóigh leat gurb é a dh'oirfeadh di í chur fé chéachta chun í a bhriseadh i gceart. Bhí súil gach fir ar an mbaile uirthi, idir óg agus aosta. Mar a dúirt an file ón áit ina taobh:

A Bhríde Bhán, mo ghrása ó Dhia thu,
Do bhainis mo cháil, mo ghrá 's mo chiall díom.

9

Dá dtiocfása lá ar Oileán na bhFiach liom

Is mé a chuirfeadh mo lámh thar do bhráid aniar ann. Níorbh é cás éinne amháin é.

Níor ghaibh Bríde riamh thar fhear ná go gcaithfeadh sí carúl leis.

'Is diail an saol age baitsiléaraithe é,' a dúirt sí, 'iad i gcónaí ag caitheamh a dtóna.'

'An gcualaís riamh cad dúirt an fear aduaidh,' ars an Cárthach léi, 'clocha ceangailte agus madraí scaoilte.' Níor thuig sí an chainnt.

'Ní thuigim,' a dúirt sí.

'Conas mar do chuaigh a oiread duit, mhuis?' arsa Bolgshúil, mar ní fhéadfadh sé gan a bheith san allagar léi.

'Bainfir do bhrí féin as fós le haimsir,' a dúirt an Cárthach.

'Mar dhe gurb iad an dream is lú go bhfuil greim orthu is measa dhom . . .?'

'Díreach glan,' ars an Mainníneach, 'nach maith mar do chuiris amach é.' Áthas ceart a bhí air, a dhuine, ná raibh sí sáraithe.

'N'fheadarsa ab aon iontaoibh aon chleas agaibh,' ar sise, 'scaoilte nó ceangailte.'

B'shin í cainnt Bhríde i gcónaí le fearaibh, nárbh aon iontaoibh léi aon fhear dár mhair nó go mbeadh sé fuar ina chomhrainn, agus n'fheadair éinne ach an laochas a mhúsclaíodh sí iontu leis an gcainnt seo. Go mórmhór aon chuid acu a bhí thar aois an dochair, is le súil na cainnte sin a bhaint aisti is mó a thagaidís trasna uirthi. Nuair a chualaidh Bolgshúil an méid sin uaithi bhí sé féin sásta. Dob shin a raibh uaidh. Níor dhein sé aon ní in aon chor ansan ach hainse ceanúil beag a thabhairt in ard a tóna do Bhríde chun í a chur ar a bóthar, agus lasca 'thruip a thabhairt sa ladhair don asal. B'sheo leis an asal ins na cosa anairde, Bríde ar a mhuin agus gach aon scartadh gáire aici.

D'fhéach an Cárthach ar Bholgshúil. 'Is sia a théann gliocas mná aon lá ná laochas fir,' a dúirt sé.

D'iompaigh Bolgshúil ar a sháil. 'Is fíor,' a dúirt sé, 'ach cá mbeadh ceann acu gan an ceann eile?'

'Bhíomair ag cainnt ar Naomh Pádraig,' a dúirt an Cárthach. 'Bhíomair,' ars an Mainníneach, 'agus b'fhéidir nárbh fhearra dhuinn rud a dhéanfaimíst anois ná ár mbéal a choinneáil dúnta air. B'fhéidir gurbh é a dhein an ceart.'

D'fhágadar mar sin an scéal agus d'imíodar orthu abhaile chun na tae, lán na beirte acu.

Siar amach ar fad a chuamair ag triall ar na daoine seo dhuit. Cuirfeam aithne fós orthu anso, agus a thuilleadh nach iad.

'Siar agus aniar' a bhíonn againne i gcónaí agus sinn ag cainnt ar chúrsaí na háite seo, focail, is dócha, ná maithfidh na Gaillimh-eánaigh go deo dhuinn. Tá canntáil déanta acu súd le fada ar na focail seo, bail ó Dhia orthu! Ach tógaidís bog é, ar mh'anam; labhraidís le fear an Daingin agus beidh a fhios a mhalairt acu. Mar, más aneas féin é siúd is aniar le ceart é. Nach é paróiste Dhún Chaoin an paróiste is sia siar in Éirinn? Nach ann atá an tOileán Tiar, agus gan age fear na Gaillimhe ach oileáinín mara go dtugann sé Inis Thiar air, agus nach é a ainm le ceart in aon chor é ach Inis Oirthir, más fíor? Deirimse siar agus aniar leat.

Is iontach an áit é an Daingean céanna. Tá sé comh hann-as agus comh trína chéile de bhaile agus atá in Éirinn, is dócha. Ní Gall-tacht é ná ní Gaeltacht é. Ní hé an draíocht chéanna atá leis an bhfocal 'Gaeltacht' ar shráideanna an Daingin agus atá i mBaile Átha Cliath. Aitheantas an éintís, gan dabht, agus iad araon ag maireachtaint ar scáth a chéile. Tá an gaol róghairid agus iad i mbéal an dorais age n-a chéile. Tá an bhean bhocht thiar ar an gcaolchuid d'ollmhaitheas an tsaoil agus ríoball ar a híochtar ó laithigh an bhóthair. Ach tá a teanga féin aici agus pinginí le caitheamh. Agus faid a bheidh, caithfear greim éigin a choinneáil ar na giobail Ghaeilge a labhrann sí, oiread agus a oirfidh chun pé gréithre agus maingisíní a bheidh ag teastáil uaithi a dhíol léi. Mara mbeadh san, áfach, is fada siar ó fháithim a gúna a dh'fhanfaí, ach a cuid a chaitheamh chúichi agus a ligeant di a bheith ag ciorrú an bhóthair abhaile.

Ní dh'fhágann san gan Gaeilge a bheith sa Daingean, áfach. Tá siopadóirí ann agus, chun a gceart féin a thabhairt dóibh, dá mbeadh a fhios acu í bheith agat ní labharfaidís leat ach í. Chun na fírinne a rá, níl aon bhaile eile in Éirinn ar m'eolas—agus tá cuid mhaith acu siúlta agam—is mó go ndeintear gnó trí Ghaeilge ann ná é. Ach tá a thuilleadh acu atá luathbhéalach go maith léi nuair ná fuil aon dul as acu; má tá, ní le haon chion ar an dteangain é ach gur deacair dóibh déanamh á huireasa, agus más é an bás atá i ndán thiar di, is fonnmhar fáilteach a raghaidh siad súd siar ar a tórramh agus ar a sochraid. An chuid acu go bhfuil leagadh acu léi—fíor-Ghaeil an Daingin, mar a thabharfaidh mé orthu— is de dhlúth agus d'inneach an bhaile iad san. Is iad uaisle an Daingin iad, agus ní haon bhréag-Ghaelachas a leithéid seo acu; ní leanann aon bhratachas ná aon tabhairt amach é, agus is tréith í nár mhairbh an gaimbíneachas riamh iontu. Tá a rian air, tá an proibhínseachas atá go láidir i mbailtí tuatha eile ar fuaid na tíre lag go leor sa Daingean. An té a bhuailfeadh leat ag imirt ghailf ar mhachairí réidhe Bhaile an tSagairt inniu, n'fheadaraís ná gurb ar cheann lín a gheofá amáireach é amach ó Cheann Sléibhe; sea, nó b'fhéidir ag ceannach bheithíoch ó thuaidh fé Pharóiste Mórach mar a gcaithfidh sé dul in iontaoibh a chuid Gaeilge. Leanóidh an fear céanna foireann peile Chiarraí go Páirc an Chrócaigh agus gach aon phuíomh as comh maith le fear. Raghaidh sé abhaile agus éisteoidh sé le Luxembourg, agus b'fhéidir, uair éigin idir oíche agus mhaidean, gur ag seimint ríleach ar an bhfliúit a gheofá é i measc na n-iascairí, ar an dtaobh caoch den ndlí, i gcistin tí tabhairne. Sea go deimhin, is iontach an áit é an Daingean!

Buail isteach ann maidean aonaigh nuair a bheidh an baile dúisithe agus na tithe beaga ag méanfach agus á searradh féin as tromshuan na hoíche. Tá féasóg liathbhán ar leicinn Chnoc an Chairn lastuas, tuar na ceatha atá ag brúchtaíl ar shlinneán Chnoc Bhréanainn ós a chionn suas arís. Ach tá aoibh na gréine ar bhéal an bhaile féin, an t-aon lá amháin sa mí gur fiú leis a ghruaim a bhrú ar a chroí chun friotháilt ar chúraimí an lae atá roimis amach. Is é an t-aon lá sa mí é go bhfaighidh tú radharc ar an nDaingean mar a bhíodh sé sa tseanashaol sarar theip an t-iascach agus nár fhan ina dhiaidh againn ach a scáth. Inniu, samhlóidh tú na cartacha féna bpotaí arda, mar bhídís, lán de mhaircréil ag déanamh isteach ar an mbaile ar gach bóthar ó Chuas an Bhodaigh go Cuaisín Bhaile Móir, agus as san go dtí an Min Aird lastoir; óna deich fichead go dtí dhá phúnt age fear na cairte as a thuras, nuair ab fhiú dhuit airgead a thabhairt ar an méid sin; mná an bhaile agus a muinchillí trusálta suas acu ag scoltadh agus ag glanadh mhair-créal le cur ar salann i mbairrilí do mhargadh Mheirice agus Chanada; éileamh ar bhia agus ar dheoch toisc an airgid a bheith ag imeacht; scol amhráin ag éirí go fada bog binn as na tithe óil in ard an trathnóna thiar, comharthaí an rachmais a lean an t-iasc nuair a bhí sé in airde láin.

Ach ní mar sin do inniu; is amhlaidh a rith do chuid samh-laíochta rófhada leat, agus nuair a bhuailfidh tú an tsráid amach is ea a chuirfidh sé iontas ort breis agus leathchéad éigin tigh tabhairne a chomhaireamh in áit atá i dtaobh le míle go leith duine. Níl anso ach iarsmaí an rachmais a bhí ann tamall—taointí scáinteacha an tseanashaoil agus a ndath tréigthe, b'fhéidir, ach iad ansúd le feiscint agat fós. Ach is é inniu lá an aonaigh agus tá an gleithreán ar siúl arís, cé ná fuil ann ach an macalla, mar tá tuargaint na gcartacha aduaidh agus aniar imithe, agus ciúnas mí-chéatach an mhairbh tagtha ina ndiaidh.

Tá an cuan ina léinsigh ghloine, gan oiread corraí ann agus a nífeadh lúidíní cos an bhaile. Faoileann aonair ina seasamh ar chrann báid agus maig uirthi. Gorm agus glas agus buí na ngort ar chrioslach an chuain mórdtímpeall le feiscint comh cruthanta san uisce agus atá ar talamh féin. Bráithreachas dúghorm an éisc ina scuainí cois calaith, agus iad ag léamh ar gach cor dá bhfuil á chur ag an spéir di. Iad fáiscthe suas ina ngeansaithe agus ina

mbuataisí arda, agus iad ag cainnt trína gcroiméala ar laethanta
eile, nó ar bhailtí cuain abhfad i gcéin. Is fada siar smaointe na
n-iascairí seo ó chúrsaí aonaigh agus ainmhithe, cé ná cúlóidíst ó
chrúibín mhuice ná ó spóla mairteola ach oiread le duine, rud nach
tógtha san orthu toisc gur minicí an t-eireaball éisc ar an bpláta
acu. Is iad na hiascairí dúghorma croiméalacha so a thugann a
cháilíocht aiceanta féin don nDaingean. Is iad a dheineann baile
ar leithligh de thar aon cheann eile de bhailtí móra Chiarraí. Is
iad a dhein an Daingean, agus a dhein baile cuain de. Is iad a chuir
na ceannaithe ar a mbonnaibh agus a choinnigh an braon friseáilte
ins gach aon cheann dá leathchéad tigh tabhairne. Ba bheag é a
ngreim ar an bpingin faid a bhí sí acu. Tá a rian air, bhí ceal scolb
ar a gcuid tithe nuair a tháinig lá na gaoithe, lá ná raibh abhfad
ag teacht nuair a gheal sé in aon chor.

Is cuimhin liom féin duine des na hiascairí seo. Duine de mhuin-
tir Ghaoithín ab ea é; fear muinteartha ach é a bheith aerach,
éaganta ann féin. Bhí muirear trom ar an bhfear bocht, agus a
dhóthain mór le déanamh aige d'iarraidh iad a thabhairt suas. Ní
raibh riamh acu ach ocras agus saoráid, agus níor shanntaíodar a
mhalairt. Le linn an chéad chogaidh mhóir ab ea é seo, agus nuair
a tháinig an praghas mór ar an iasc níorbh fhada gur bhuail an
rachmas i dtreo an Ghaoithínigh comh maith le fear. Nuair a
chonaic sé na pinginí móra, ní mór ná gur bhaineadar radharc na
súl de; ní raibh éinne bocht ar a chine, agus ní há mhaíomh air a
bhí éinne, mar b'é an fear preabúil é nuair a bhí sí aige. Do thagadh
sé isteach inár dtighne ag deargadh a phípe uaireanta nuair a
bheadh sé ar an mbóthar, agus níor dhóichíde rud a thairgeodh
sé chuige chun í a lasadh ná bille púint!

'Grásta ó Dhia chughainn, a Cháit a chroí,' a déarfadh sé lem
mháthair go neamhchúiseach, 'mara mbeadh gur labhrais in am
ba dhaor an gal orainn é.' Agus do bhuailfeadh leis an pábhaille
síos agus gach aon scartadh gáire aige. Sin uile a ndéanfadh sé de
nath dhe. Agus níor thúisce chughainn arís é ná an cleas céanna

á dhéanamh aige. B'shin é a mheon. Ach do sháraigh sé an cleas san ar fad lá dá raibh sé sa Daingean agus braon maith fén bhfiacail aige, nuair a bhuail sé an tsráid síos agus pé billí a bhí ar iompar aige fáiscthe mar bheadh beart aitinn thiar air le súgán rua, agus, mar dhe, droinn go talamh air fé ualach an bhirt. B'shin é an Gaoithíneach bocht, slán beo leis!

Bhí an lá ann, agus ní fadó shoin é, nuair a dheineadh an Daingean a chuid trádála féin le tíortha comh fada ó bhaile leis an Sualainn agus an Astráil. Is cuimhin liom féin árthach seoil trí gcrann a theacht le cé ann ón Ioruaidh, agus ládáil adhmaid ina chláracha bána agus ina chreachaillí greanta comh hard san thar gunaill uirthi go raibh, mar bheadh, gach cnámh ina corp ag lúbadh agus ag cnagadh fén ualach agus í ag treabhadh léi an cuan aníos. Ní gan taithí a bhí an baile ar a leithéid. Ach mar sin féin níl aon áit comh stóinsithe sin ná go dtagann corraíl croí air i bhfianaise an mhairnéalaigh iasachta. Bhíomair go léir ag feith- eamh leis an oíche go mbeadh an clabhsúr curtha ar an ládáil adhmaid agus ár mbád ag marcaíocht go stuama ar a hancaire amuigh age ceann an ché. Ar nós gach báid seoil dá leithéid, bhí abhar oifigeach ag déanamh a gcúrsa tréineála ar bord uirthi seo, agus focail Bhéarla acu, oiread agus a dhéanfadh a ngnó, ach go háirithe. Le titim na hoíche i gcónaí do bhuailidíst isteach fé shráideanna an bhaile mhóir, isteach ins na tithe ósta tamall agus amach astu arís. Ansan greas fiaigh trí phóirsí dorcha agus trí chúlshráideanna an bhaile. Seal den oíche fé sheál mná óige faid a mhairfeadh a ndúil ina chéile, agus fascaine ó sholas agus ó shúilibh daoine acu. Pé cuid acu a bhí luite leis an ól, níos mó ná a chéile, níor dhóichíde áit a mbeidís sin ná i dtigh tabhairne go dtí go gcuirfí amach iad. Gléiseanna ceoil acu agus iad á dtarrac chúchu ansan. Cairdín agus beanseo agus fidil, b'fhéidir, agus máirseanna breátha á shéideadh suas orthu. Tímpeall an Daingin a thabhairt as san amach go ceann an ché, agus óga an bhaile ina strillín ina ndiaidh aniar.

B'shin é mar a bhíodh gach aon oíche nó go raibh deireadh an adhmaid críochnaithe agus an clár deireanach tairgthe. B'shin í an oíche le scléip agus le rinnce agus le hamhráin. Bhí gramaisc an bhaile go léir ar bord; deic na loinge comh sciomartha le sliogán báirnigh, agus ba ghearr go raibh an ranngcás fé lántseol—cailín óg an Daingin agus greim barróige aici ar stróinséir mairnéalaigh ó bhun na spéireach thuaidh, agus solas gréine na meánoíche ina súile. Ach is maith a bhí a fhios ag an gcailín seo—mar nach é galar aon bhaile cuain amháin é—ná raibh san aisling seo aici ach fás aon oíche, agus, comh luath in Éirinn agus a ghealfadh lá, go n-ardófaí seol agus go bhfáiscfí téad, agus gurbh shin croí eile leachta le cúr an bharra taoide.

B'shin é an Daingean tamall dá raibh sé. An uair sin bhí an cúipéaraí agus an saidléaraí ann. Bhí an muileann cardála ann, an fíodóir agus an t-úcaire. Níl fágtha acu san inniu ach an saidléaraí, agus ar nós an ghabha, ní dócha gur fada a bheidh cúram do san féin ann. Mar is ag dul i dteirce atá an t-ainmhí agus a áit á thógaint de réir a chéile ag an inneall. Ná beir leat, mar sin féin, gur baile cloíte é; is fada as. Mar tá talúintí maithe méithe ina thímpeall, agus ní hí an tseithléig a lagóidh choíche é. Tá, agus saibhreas eile i mbéal an dorais fós aige, an t-iasc. Más ea, ní hé an maircréal é—tá a ré sin istigh agus is é an trua san, mar is air a bhí seasamh lucht na naomhóg laistiar toisc gurbh é an t-iascach ab fhearr a dh'oir dóibh é nuair a bheadh deireadh tagtha le biaiste na ngliomach isteach sa bhfómhar go mórmhór.

Ach gan dabht ní hag brath ar naomhóga ná ar a leithéidí eile a bhí iascairí bhaile an Daingin riamh. Ní raghaidíst isteach iontu, agus dá raghaidís féin ní histigh leo féin a bheidíst iontu. Níorbh é a ndúchas ná a dtaithí é, ach an bád adhmaid, rogha í a bheith beag nó mór. Ba bhreá leo i gcónaí an plannc déil a bheith idir iad féin agus an fharraige mhór, agus ina theannta san scóp agus neart ionfairte a bheith acu. Má tá na háiseanna so age fear an Daingin, tá sé comh nótálta d'iascaire agus atá ar an gcósta so

16

againne. Tá sé tabhartha suas do ag iascairí comh fada ó bhaile leis na Cealla Beaga agus leis an Inbhear Mór, agus as san isteach go Binn Éadair féin. Ach is é a tháinig leo ar feadh cuid mhaith dhe bhlianta gan an bád ná an fearas ceart a bheith acu, ná éinne i mbun iad a chur ina dtreo, ach iad ag brath ar thrálaeirithe agus ar naibithe ná raibh mar seo ná mar siúd acu. Ní raibh ag leanúint na mbád so ach annró agus ainnise, agus trangláil ó dhubh dubh, agus go minic gan puinn dhá bharra acu. B'iad umar na haimléise i gceart iad. Gan neart suí ná luí iontu agus blas an ghoirteamais agus na híle ar gach aon ní a bheadh á chur id bhéal agat iontu. Níorbh aon ní leis na hiascairí é seo dá mbeadh gach aon rud eile ar a dtoil acu; a mbád a bheith fé dhóibh, oiriúnach chun tabhairt fé aon tsórt iascaireachta a bheadh fén mbá. Agus ní raibh sí acu, ach bathalach fuar a bhainfeadh a mhisneach den iascaire ab fhearr ar muir.

Ach tá atharrach saoil ann inniu, agus is míthid sin. Caithfidh bád an lae inniu a bheith feistithe suas i gceart chun tabhairt fé pé sórt iascaigh a gheobhaidh ina treo, agus dul ag triall air san áit a bhfuil sé. Agus tá siad acu ann, báid comh breá, cuid acu, agus atá ar an gcósta. Báid leathchéad troigh is ea a bhformhór, agus ceann nó dhó atá sé troithe sa mbreis. Tá gach aon chompord ages na hiascairí ar na báid nua so, agus gach áis agus saoráid a dh'iarrfadh do bhéal. Gach aon chúram atá le déanamh ar bord, an cur agus an tarrac, agus anuas go dtí cuailliú na téide féin, is é an t-inneall atá á dhéanamh dóibh. Tá an raidió acu chun tuairisc a chéile a chur ar na bainnc lasmuigh agus chun teacht i gcabhair ar a chéile in am an ghátair. Má éiríonn an t-iasc ar aon bhannc, tá neart acu an focal a chur sa tímpeall ar an raidió, agus níl a bhac orthu go léir a bheith ina threo gan aon rómhoill. Ansan, tá fearas iontu a thomhaiseann doimhneas an uisce dhóibh, rud a bhí ag teastáil go géar uathu ar thalamh tanaí le traimillí agus le potaí gliomach. Tá a rian air, tá daoine óga ag dul leis an iascaireacht arís ann, agus nach breá an rud san seachas mar bhí!

II

Ó dh'fhágann tú Ceann Trá, chúig mhíle laistiar de Dhaingean, go sroichfidh tú Abhainn an Scáil, deich éigin míle lastoir de, is í seo an taobh tíre nach miste dhuinn breac-Ghaeltacht an Daingin a thabhairt uirthi. Ní limistéireacht mhór ná fairsing í seo, mar cé go bhfuil sí chúig mhíle dhéag ar faid, ní mó ná dhá mhíle ar leithead in aon áit í, agus í i dtaobh leis an leathmhíle féin in áiteanna. Tá Gaeilge ag an ndream aosta go léir, geall leis, san áit seo, agus ní mairg leo í a labhairt eatarthu féin, ach ná fuil puinn lorg ag an ndream óg uirthi. Deich mbliana fichead ó shoin agus me féin im shlataire ag dul isteach go Tráigh Lí agus ag teacht abhaile ar an dtraein, is Gaeilge is mó a chloisinn á labhairt i measc na ndaoine, óg agus aosta, comh fada soir leis an gCom i ngiorracht deich míle do Thráigh Lí. Bhí, agus bhí cuid mhaith Gaeilge fágtha an uair sin sa Leitriúch, nó 'thíos thar cnoc' mar thugaimíst i gcónaí air. Is breá blasta an Ghaeilge, is cuimhin liom, a bhí age fear de mhuintir Aonghasa a thagadh aníos thar cnoc ag féachaint i ndiaidh na gcaeireach nuair a thagadh an t-am tímpeall i gcónaí chun iad a thomadh. Níor labhair sé riamh lem athair féin, trócaire air, ach í, ná le héinne eile go raibh sí aige, agus is é a bhí deas air. Ach sa limistéireacht mhór lasmuigh, is é sin amach ón mbreac-Ghaeltacht soir agus ó thuaidh chun an Leitriúigh, is é an duine fada fánach go bhfuil mórán di anois aige, ná puinn caitheamh ina diaidh ach oiread.

Is minic a bhíonn daoine milleánach ar na breac-Ghaeltachtaí toisc iad a bheith comh fuarchúiseach san i dtaobh na Gaeilge agus an Ghaelachais. Is fíor gur beag áit a bhfuil oiread seanabhlas ar an dteangain ná oiread neamhshuim i gcúrsaí Gaelachais agus atá in áiteanna dá leithéid. Is mó a thiocfadh ag éisteacht le dráma Gaeilge, cuirim i gcás, i nDurlas Éile ná a raghadh ag triall air in Abhainn an Scáil. Is fearr an chluas a thabharfaí d'amhrán Gaeilge

istigh i gCathair Luimní ná mar a thabharfaí ar bhainis i gCaisleán Ghriaghaire dho—ní thuigim canathaobh é, ach is mar sin atá. Mar sin féin, is mó de dhíol trua ná de dhíol feirge na sráidbhailte seo agus a gcomharsanacht. An rud álainn a bhí acu féin agus age n-a muintir rómpu, tá sé bailithe uathu ag an saol agus ag an aimsir. Ní hamhlaidh a chaitheadar uathu d'aonghnó ghlan é. Is amhlaidh a shleamhnaigh sé uathu de réir a chéile, díreach mar a thránn an t-uisce den mbáirneach agus den miongán leis an dtaoide atha. Do thráigh taoide atha na Gaeilge orthu so ar an gcuma chéanna, agus do fágadh ina ndíthreabhaigh idir dhá thráigh iad, teanntaithe idir dhá thaoide. Inniu, níl sé mar seo ná mar siúd acu. Níl sé ina Bhéarla ná ina Ghaeilge acu. Is iad so an t-aon dream daoine amháin ar m'eolas-sa go bhfeadfaí a chur ina leith, más féidir é a chur i leith óinne, iad a bheith 'illiterate in two languages.' Ní mar a chéile iad in aon chor agus muintir na Fíor-Ghaeltachta a dh'fhoghlamaíonn Béarla. De ghnáth is é Béarla na scoile a dh'fhaigheann siad san mar bhia ar dtúis; is é a fuaireas féin, agus is ar scoil a dh'fhoghlamaíos formhór mo chuid Béarla.

Ina theannta san, bíonn tuiscint do chúrsaí teangan ag an nGaeilgeoir dúchais ná cuirfeadh an Béarlóir féna thuairim go deo. Ní bheadh agat ach seal den oíche a thabhairt ina measc nuair a bheidís bailithe isteach i dtigh des na comharsain tar éis oibre an lae chun é seo a thuiscint. Ní bheadh aon iontas ort dá gcromfadh na daoine seo ag cainnt ar iascach nó ar fheirmeoireacht nó ar an aimsir, ach níor dhóichíde rud a thairgeoidís chúchu ná cúrsaí teangan. 'Anois, a Sheáin, tá teist na Gaeilge go maith ortsa, agus é tuillte agat; ach an gcualaís riamh an focal so ar do shiúlta?' a déarfadh fear, ag séideadh fé Sheán. B'fhéidir gur mar mhagadh a chuirfí an cheist ar dtúis nó le barr neamhaistir. Ach más ea féin níorbh fhada go mbeadh an comhluadar i leaba an dáiríribh léi, gach éinne agus a insint féin aige ar bhunús an fhocail; cruacheisteanna eile á chaitheamh trasna ar a chéile acu mar scéal thareis, agus raiseanna filíochta á chaitheamh san aghaidh ar a chéile acu go dtí go mbeadh sé in am scaipeadh. Deirimse *Fanhbanna Gaeilge* leat!

Fágann so gur géarchúisí go mór an Gaeilgeoir ina theangain féin ná an Béarlóir, pé áit den dtír a bhfuil sé. Ach féach an dream ná fuil sé mar seo ná mar siúd acu, ar nós fear na Breac-Ghaeltachta. Ní bhíonn aige seo ó thosach ach Béarla briste, rud a dh'fhágann bacaí le saol air; maolaíonn sé an éirim agus an ghéaraíocht ann, agus is deacair do teacht uaidh. Sin é cás na Breac-Ghaeltachta comh fada le cúrsaí teangan de, agus má bhraitheann tú cuid acu seanabhlastúil agus nimhneach uaireanta, ná bí ródhian, ná róphras chun iad a cháincadh. ✓

Feirmeoireacht is mó a deineadh riamh i gceantar bhreac-Ghaeltachta so an Daingin, ach amháin i mBaile Móir laistiar agus i gcomharsanacht na Min Airde lastoir. Is mar sin atá an scéal acu fós, ach ré na naomhóige a bheith ag dul in éag ins na háiteanna ina bhfuil sí fágtha. Marab ionann agus feirmeoir na Gaeltachta thiar, ní chuimhneodh feirmeoir an cheantair seo choíche ar an dá thráigh a fhreastal, is é sin, seal a thabhairt leis an bhfeirmeoireacht agus seal eile leis an iascach. Sin é mar dheinidís thiar i gcónaí —nuair a bheadh obair na talún ag glaoch orthu, í sin a fhriotháilt ar dtúis agus, nuair a bheadh a gcuid ionnramhála ar an dtalamh críochnaithe acu, dul ag sealgaireacht fén bhfarraige tamall eile faid a bheadh an t-ionú ann. Cuid acu ar thraimillí, spiléir age n-a thuilleadh acu, agus fear anso agus ansúd i dtaobh le líonta róid, obair ná raibh rósclábhúil ar fad agus ná raibh ann ach ciorrú aimsire go minic. An t-iasc a bhuailfeadh leo ansan, cuid de a chur ar salann i gcomhair na dúluachra agus ligeant do buíochtaint fé léith na tine nó na gréine tar éis é a thógaint aníos as an bpicil. Breac eile a dh'ithe úr aníos as an uisce agus an méid a bheadh spárrtha a dh'ithe úrshaillte. Bhí a rian air, ní raibh an feirmeoir thiar riamh gan annlann. Mar, faid a bhí an fear eile i dtaobh leis an mbreac a cheannódh sé ar leacacha an Daingin, bhí a chuid éisc féin ag an bhfear thiar, idir úr agus leasaithe, faid a mhair mianach na farraige ann agus a shláinte a bheith fé dho.

Is minic ráite é age daoine go bhfuil machnamh doimhin déanta ar an gceist acu gur mhór an dearúd riamh Gaeilgeoirí a thógaint scunscan óna bpréamhacha dúchais agus iad a thabhairt síos isteach go lár na tíre, agus a bheith ag súil le Gaeltachtaí nua a shíolrú as an bplanndáil mhínádúrtha so. Ní deirim ná go bhfuil cuid mhaith dhen gceart acu, go mórmhór maidir le Gaeilgeoirí ó limistéireachtaí cois farraige. Insa bhall dúchais a dh'fhágadar súd, bhí an teanga múnlaithe do ghnáthchúrsaí an tsaoil ina tímpeall, iascaireacht, móin, aimsir, sliabh agus farraige. Is dícheall di maireachtaint, ní abraím fás, in aon chomhluadar eile, agus gan á shú as an úir aici ach anál dheoranta an Bhéarla. Oireann meon agus aigne ina tímpeall di atá Gaelach ar a nós féin; ar nós an phlannda díreach atá sí, agus comh leochaileach leis.

Na daoine a bhí i gcoinne na planndála úd ón bhFíor-Ghaeltacht, is é a dúradar gurbh fhearr go mór na feirmeoirí a bhí le haistriú a dh'fhágaint níos giorra dá mball dúchais; gan a dhéanamh leo ach iad a thabhairt amach thar teorainn isteach dhon Bhreac-Ghaeltacht, agus mar sin go mbeifeá ag brú na Gaeilge leat soir de réir a chéile i gcónaí, ach a bheith ag glanadh na mBéarlóirí romhat agus á dtabhairt sin leat, in ionad an dreama eile, go dtí talúintí méithe lár na tíre. Do bhíos féin ar aon intinn leo so tamall, agus do mheasas gur dhiail an tseift í nó go bhfeaca triail á bhaint aisti i gceantar so an Daingin.

Sa bhliain 1928, tar éis do Choimisiún na Talún seilbh a ghlacadh ar fhearann an Tiarna Fionntrá—míle éigin acra de thalamh breá i mBaile an Ghóilín, trí mhíle slí taobh thiar de Dhaingean—do deineadh é a phlanndáil le Gaeilgeoirí ós na paróistí lastuaidh agus laistiar. Bhí san go maith agus ní raibh go holc, mar a deireadh an seanascéal. Bhí Gaeilge comh breá agus comh blasta le clos ar pháirceanna Bhaile an Ghóilín agus a bhí riamh ann sarar cuireadh an tseanamhuintir a bhí rómpu go léir ann as a sealúchas, agus gur scaoileadh le fuacht agus le fán an tsaoil iad. Sea, conas mar atá acu so inniu? Ní gá dhom scéal fada a dhéanamh de. Ar mo chamachuarta dhom tríd an áit le déanaí, thugas turas ar dhá theaghlach acu. Focal Gaeilge ní raibh le clos sa chéad tigh, ach iad imithe le Béarla ar fad. Sa tarna tigh, níl aon Bhéarla ach focail fánacha ag an seanalánúin. An lánú óg atá sa tigh, is líofa agus is praitinniúla go mór ar an nGaeilge ná ar an mBéarla iad, agus níor labhradar riamh liomsa, ná eatarthu féin, ach í. Ach pé Béarla atá acu go léir eatarthu—agus is suarach é, geallaim dhuit—is é a bhí á theannadh le leanaí óga an tí acu. Ó thosach deireadh, is seift í nár dh'éirigh léi.

Ó Abhainn an Scáil siar amach thar Daingean agus isteach go ceartlár na Fíor-Ghaeltachta, is í seo tír na fiúise. Ar dhá thaobh an bhóthair tá sí crochta mar bheadh dhá chuirtín ina slaodaibh borba glasa, agus í ar lasadh le sligríní dearga atá ar sileadh ina mílte léi. An áit a mbeadh coll nó sliotharnach nó táthfhéileann in áiteanna eile ar fuaid na tíre, is í an fiúise atá le fáil agat san áit seo, ar an gclaí teorann, ar bhruach na habhann, ar thaobh na síonach den dtigh, ag déanamh fothana don nduine agus don ainmhí. Deireadh na seandaoine riamh ná raibh aon áit is fearr a dh'oir di ná cois na farraige, nó in áit a mbeadh bolath na farraige le fáil aici. Níl aon radharc ach í nuair a bhíonn sí fé bhláth, agus níl aon bhreith ag aon ní uirthi chun meala. Nuair a bhímíst ag dul ar scoil, do phiocaimís na sligríní den bhfiúise, do bhrúimíst an plaosc atá anairde orthu agus do thiocfadh deoir mhór mheala anuas ar ár mbais chughainn. Ní haon áiféis a rá go bhfaighfeá lán spíonóige de mhil as dhosaen éigin ceann acu nuair a bheidíst aibidh i gceart agus bliain mhaith a bheith tagtha orthu.

Tá ainm na meala so anairde, agus níl aon mhil eile ar an margadh, a déarfainn, is daoire ná í. Is iontach an obair, mar sin féin, gurbh é do dhícheall oiread agus aon choirceog bheach amháin a dh'fháil sa cheantar so mar ritheann. Is acu atá an saibhreas, dá dtuigfidíst é. Is fiú le daoine in áiteanna eile go bhfuil coirceoga acu teacht ag triall ar an bhfiúise agus í a chur tímpeall a gcuid tithe, cé ná beadh aon easpa fraoighe orthu san am chéanna.

Dúthaigh í seo go dtagann aimsir ana-cheannsa inti, agus tá boigeacht agus úrmhaireacht aeir inti a thagann go maith dhon bplannda, is cuma cad é. Is dócha gurb shin é an chiall go bhfásann an fiúise comh borb san ann agus ná fuil ach breacbhaint ag an bhfarraige leis an scéal. Ní measa de theist ar an mbliain seo ár dTiarna (1958), is dócha, ná an leathadh a baineadh as mo shúile nuair a ghabhas siar tríd an ndúthaigh seo agus go bhfeaca an barradhódh a bhí déanta ar an bhfiúise ann ó cheann ceann na háite. Ní raibh sligrín dearg fágtha uirthi ná oiread agus an bhileog ghlas féin, ach pén méid a bhí ag borradh fúithi thíos in athfhás éigin mínádúrtha a thosnaigh ródhéanach. Do tháinig aon oíche amháin ón spéir, a dúrthas liom, go raibh faobhar an tseaca ar a fiacail, agus gála cruaidh feannaideach trí Bhá na Scealg aniar, díreach nuair a bhí na chéad phéacáin á chur amach aici. Do stolladh go talamh í, do greadadh agus do nochtadh, agus níorbh é an áit chéanna in aon chor é á ceal. Do thabharfá an leabhar ar é dh'fheiscint gurbh é Lá 'le Míchíl a bhí agat i mbolg dearg an tsamhraidh.

Áit gan puinn móna is ea an dúthaigh chéanna, cé nach aon easpa sléibhte atá orthu ann. Ach is sléibhte arda iad ar fad, nach mór, gurb é dícheall na caeireach féin iad a dh'ionnramháil gan a bonn d'imeacht uaithi agus í do dhul i ndraip. Ansan arís ní minicí glan iad ná scailp cheoigh leata anuas orthu i gcás gur deacair aon scarbháil a theacht ar an móin a bhainfí anairde orthu. Ceobhrán farraige é seo agus titeann sé gan puinn coinne leis uaireanta, agus is mó fear maith gur rug sé amuigh air nuair a bheadh sé i ndiaidh na gcaeireach. Ach tá fás ann go dtugann siad Aiteann Muire air a gheofá cois na gclaitheach fé bhun na gcnoc in aon áit a mbeadh dúilíocht an uisce ann, agus éinne a bhíonn ag dul chun cnoic, is amhlaidh a bhaineann sé scathán beag den aiteann so agus buaileann chuige i mbóna a chasóige é. Tá sé déanta amach, an té a théann chun cnoic agus é seo ina chasóig aige, nár chuaigh sé amú in aon cheo riamh.

11252

Ach chun dul thar n-ais ar mo scéal: tá siad, mar a dúrt, ar an gcaolchuid den móin san áit. B'fhéidir go bhfaighfeá aon fhód amháin ar airde in áiteanna ar thalamh ná beadh ró-ard ann féin, ach dá mbainfeá an craiceann de nárbh fhiú dhuit saothar a chaitheamh lena mbeadh ina dhiaidh agat. In ionad an chraicinn a bhaint de, áfach, is amhlaidh a bhaineann siad idir chraiceann agus uile é. 'Stuaicín' a thugtar ar a leithéid seo dhe mhóin, agus is í an earra gan chrích í, mar níl buancas ná brí inti. Sa tseanashaol nuair a theipfeadh an stuaicín seo orthu—rud nárbh annamh, mar is móin í ná fuil comh sothógtha san ar fad—do chaithidís dul in iontaoibh an bhrosna chun an chitil a chur ag fiuchaidh dóibh, craobh agus speathánach agus rútaí aitinn gabhlaigh. Do chonacsa féin an chraobh ón gcnoc acu, agus sinn féin inár leanaí nó an tseanabhean a bheadh i gcúinne an iarta ag cur na spiorraí fén gciteal nó fén gcorcán, mar do chaithfeadh éinne amháin a bheith i mbun an ghnótha so de shíor is de ghnáth, nó do raghadh an tine in éag. Ní mar a chéile craobh agus fraoch; tá an fhraoch mion agus gan aon tathag inti, agus ní bhacadh éinne léi ar aon nós. Fás eile de dhéantús na craoibhe is ea an speathánach, ach í a bheith níos gairbhe agus níos láidre. Craobh mhór fhada is ea í, agus bhíodh ana-thóir uirthi toisc an bhuancais a bheith inti. Rútaí an aitinn ghabhlaigh ina dteannta so, agus geallaim dhuit ná beadh aon fhuacht ort, agus nach fada go mbeadh do chiteal ag seimint agat.

Is fada ón gcraobh agus ón mbrosna atá siad inniu, a chonách san orthu! Agus cé gur mó duine a cháiseodh an t-athrú, ní há mhaíomh orthu a bheadh éinne, mar ní hé seo an t-aon chuid den seanashaol atá ag imeacht de réir a chéile. Dá b'é féin, agus a raibh d'annró á leanúint, nár imí uainn ach é. Inniu, níl aon tigh dá shuaraí agus dá laghad rachmas ná go bhfuil a chócaireán beag pairifín, nó a leithéid, ann ar a laghad. Tá an stuaicín féin ag imeacht agus an gual nó an íle ag teacht ina hionad. An té ná fuil ceachtar acu so aige, ach oiread leis an stuaicín féin, is í an mhóin dhubh ón Sliabh Mór lastoir nó ó Chom an Lochaigh thiar atá aige agus í tagtha go béal an dorais chuige ar laraí. Is fada idir é sin agus an scéal a bhí le n-insint age seanabhean ó Chom Dhíneoil domhsa tá tamall de bhlianta ó shoin. Máire Ní Bhrosnacháin ab ainm di. Do rugadh in aimsir an ghorta í, agus tá sí ar shlua na marbh inniu, trócaire uirthi. Cruach mhóna a chuir sí abhaile ó Shliabh an Fhiolair d'fheirmeoir éigin go raibh sí in aimsir aige, agus gan í ach tagtha chun coinnlíochta dá muintir féin, díreach mar a bheadh sí tar éis na scoile a dh'fhágaint sa lá atá inniu ann. I gcliabh thiar ar a drom a dh'iompair sí gach aon fhód den móin úd abhaile, obair sclábhúil trí aiteann agus trí fhraoch agus trí chosáin dhuaibhsiúla gurbh é dícheall an asail a bhonn a choinneáilt orthu. Dúirt sí suas lem béal, agus ní chuirfead bréag uirthi, ná fuair sí de dhíolaíocht as an gcallshaoth go léir ach cóta beag plainnín agus uan ráithe. Bhí a rian air, bhí droinn go talamh ar gach aon duine den seanadhream a ghaibh tríd an mbráca so.

Nach mairg a cháiseodh an seanashaol so a bheith imithe, nuair a chuimhneofá i gceart air!

III

FÁGAIMÍS baile an Daingin agus a chomharsanacht inár ndiaidh anois, agus tugaimíst ár n-aghaidh siar amach. Chun na fírinne a rá, is anso a bhí ár dtriall ó thosach, ach nár chás linn moill bheag a dhéanamh ar nós an té a leagfadh a chos don chéad uair ar tháirsigh na síoraíochta. Nuair a thánamair comh fada leis an nDaingean, do mhothaíomair go rabhamair i bhfianaise saoil eile. Tá anál an tsaoil seo le mothú ag éinne ar leacacha an bhaile. Féach an tsráid aníos chughat an triúr fear féna ngeansaithe gorma agus a mbróga tairní, agus in ionad iad a bheith guala ar ghualainn le chéile, duine acu i ndiaidh an duine eile aniar ina strillín agus iad ag cainnt agus ag comhrá le chéile gan oiread agus a gceann a dh'iompú. Ní fearr leo so rud de. Is air a bhí a dtaithí ar oileáinín mhara an Bhlascaoid a bhí fágtha ina ndiaidh acu, agus gan de bhóithre acu ann ach cosáin chaeireach siar fén gcnoc agus iad á siúl in aghaidh an lae ar an gcuma chéanna toisc ná raibh ach slí d'éinne amháin sa turas orthu.

Féach na mná ag cogarnaigh i mbéal a chéile féna seálanna dubha agus iad tairgthe ina dtímpeall mar bheadh a clócaí age cearc ghoir nuair a bheifeá ag bagairt ar a hál. Ní haon chuid des na mná ó chianaibh iad so a thagann amach le faobhar lae is oíche féna seálanna ar shráideanna an Daingin féin. Ní mairnéalaigh iasachta ná craiceann atá ag dó a ngeirbe seo, ach cúraimí dlisteanacha an tsaoil gur cuid de an bhúrdúnaíocht agus an suainseán atá ar siúl acu eatarthu féin anois. Tá a gcuid ubh díolta acu, b'fhéidir. Tá litir fachta ó Mheirice age duine acu, agus caithfear an saol a chur trí chéile thall. Caithfear, agus tamall leibhéil a dhéanamh ar dhaoine atá marbh ag an ngoirteamas agus nach féidir léamh i gceart orthu féin ná ar a gcúraimí. Agus cá háit is fearr ná is oiriúnaí chun é seo a dhéanamh ná fé bhinn an tseáil abhfad ó

28

shúile na gcomharsan. Aniar iad so leis, dá gcloisfeá a gcainnt, ach féach an gcloisfir ná aon dul agat air!

Gan a leithéidí seo a bheith sa Daingean inniu, is beag an mhoill a dhéanfá ann ach cur díot siar. Is é an chéad leathadh a bhainfear as do shúile nuair a thiocfaidh tú i radharc Chuain Fionntrá. Tá radharc ar an bparóiste ar fad agat d'aon amharc súl amháin, agus é socair síos go seascair mórdtímpeall ar chrioslach a chuain féin. Is mó scéal a neosfadh an cuan so dá mbeadh neart labhairt aige ar laethanta eile. Déarfadh sé leat gur ar a bhordaibh a tháinig Naomh Gobnait i dtír in éineacht le criú na loinge go raibh a hathair mar chaptaen uirthi. Déarfadh, agus neosfadh sé dhuit i dtaobh an chatha a bhí anso fadó idir Fhionn Mac Cumhaill agus na Fianna agus fórsaí barbartha Rí an Domhain nuair a thugadar fé ionnramh a dhéanamh ar Éirinn go dtí gur chuir na Fianna an teitheadh orthu. Do neosfadh sé dhuit, leis, i dtaobh an lae gur iompaigh an feothan gaoithe aniar aduaidh a mbád ar an dtriúr Luasach ó Bhaile Móir amuigh ann agus gur thiteadar le chéile. Ach mara labharfaidh an cuan ar na rudaí seo leat, labharfaidh daoine orthu, mar is eachtraithe iad ná ligfear dóibh bás a dh'fháil pé ní is mar a dhéanfaidh eachtraithe móra eile an domhain.

Siar leat trí Cheann Trá féin, maran fiú leat suí ar stól ann tamall chun smúit an bhóthair a ghlanadh as do scornaigh. Agus b'fhéidir nár mhiste dhuit é mar gur fada an t-achar de shlí go mbuailfidh aon áit eile leat chun do thart a mhúchadh le húsc na heornan. Tánn tú ar thairsigh na Fíor-Ghaeltachta anois, agus, mar a dúirt an file, 'bain díot do chóta.' Tá an bóthar ar do thoil agat as so siar, ar aon leibhéal leis an uisce go sroichfidh tú Cill Mhic an Domhnaigh, mar a n-éiríonn sé beagán de dhroim na gualann siar. Tá an cuan ar do láimh chlé i gcónaí agus é ina leamhach. As san siar, tá an talamh ag géarú ar do láimh dheis agus fánaidh níos mó ag teacht ar do chlé. Tánn tú ar bhruach na faille anois, agus fanfaidh tú ann ar feadh tamaill. Claitheacha cloch ag éirí ar gach taobh trí thalamh garbh méirscreach gur dhóigh leat gurbh é dícheall na circe fraoigh a dóthain a dh'fháil le n-ithe ann. Ba dhóigh leat gur dhial an neamhaistear don té a thóg cuid mhaith des na claitheacha so ar dtúis. Ní thógann éinne claí ach chun rud éigin a chosaint. Níorbh aon nath leat claí teorann; do chaithfeadh a leithéid sin a bheith ann. Ach maidir lena bhfuil de chlaitheacha le feiscint anso agat síos isteach ar ghualainní géara faille a chuirfeadh crith chos is lámh ort gan faic ach féachaint síos orthu, agus as san anairde go dtí mullach an chnoic agus gan luid le cosaint ach carraigreacha agus púicíní cloch, leachtáin agus fraoch agus aiteann?

Tá an fharraige fút thíos anois, cruinn díreach, ag déanamh isteach ar Cheann Sléibhe, mar a mbainfear an tarna leathadh as do shúile le háilneacht na radhairce atá ag oscailt rómhat amach. Níl ós do chionn ach an fhaill dhiamhair, ná féd bhun, mar do gearradh an bóthar so tríd an bhfaill dhubh le cróite agus le hoird sa chéad so caite. Aistear go Dún Chaoin is ea é dhe bhreis ar an seanabhóthar atá ann fós trí Mhám Clasach, ach is comhgar é ar shlí eile toisc an cothrom a bheith agat ann agus an tsaoráid a leanann é.

Bhí fear ó Dhún Chaoin, oíche aonaigh sa Daingean, ag teacht abhaile tríd an gClasach agus braon maith fén bhfiacail aige. Miúil a bhí ag an bhfear bocht, agus pé lagachar a tháinig ar an miúil leath slí suas, an riach di nár chuir stailc suas. Bogadh ná sáthadh ní fhéadfadh mo dhuine a bhaint aisti. Bhí beagán drochmhianaigh ann féin, agus is amhlaidh a tháinig conach dearg chun na miúlach air. Nuair a theip air ionga ná orlach a bhaint aisti, níor dhein sé aon ní in aon chor ach aon léim amháin a thabhairt ina drom agus an dá chluais a dh'ithe go dtí an stúmpa dhi. Do chuir san piobar léi, geallaim dhuit!

Ag druideam isteach le Carraig an Chinn i gCeann Sléibhe is ea a nochtann an Blascaod Mór é féin de réir a chéile, agus ansan na hoileáin bheaga uaidh ó thuaidh go hInis Tuaisceart, á ngrianadh féin tar éis éirí aníos as an sáile. Ós comhair do shúl amach i lár an phictiúra, mar bheadh ollphiast mhór go mbeadh a ceann ardaithe aníos as an bhfarraige aici ag féachaint isteach ar an Oileán Mór, tá Ceann an Dúna, an scrogall talún is sia siar san Eoraip. Dá dhroim sin, níl le feiscint agat ach an fharraige, agus na hAird ó Thuaidh. Idir Cheann Sléibhe agus Cheann an Dúna atá Com Dhíneoil, an chéad bhaile de pharóiste Dhún Chaoin, mar a ligfimíd ár scíth ar feadh scaithimh.

Is anso a rugadh agus a tógadh mise. Lem mhuintir ab ea Ceann an Dúna agus a leanann de thalamh é. Ceann Sléibhe ar mo láimh chlé; Dún Chaoin go léir, mar ritheann, ar mo láimh dheis agus gan aon bhlúire dhe le feiscint agam go n-éireoinn amach anairde ar mhullach an Dúna. Agus díreach ar m'aghaidh amach, an radharc is gile in Éirinn, agus iad go léir a chur le chéile, Oileáin Gheala na mBlascaodaí. Ní mhaiffinn a áit dhúchais ar éinne ar dhroim an domhain faid a bhí na hoileáin seo le feiscint agam ó mhaidean go hoíche gach lá dá n-éirínn dem leabaidh. Is é aoibhneas na nOileán a fuaireas mar bhia agus mar dheoch ó bhéal mo mháthar, trócaire uirthi, mar is astu amach a tháinig sí féin. Dar liom go mbíodh an ghrian ag taitneamh orthu i gcónaí, agus go mbíodh ceol sí éigin le clos amach astu i ndéanaí an lae. Nuair a dh'fhágadh na héiníní go léir an talamh ag déanamh ar oíche do mheasainn gur isteach fés na hoileáin a thugaidíst a n-aghaidh. Ach b'shin í samhlaíocht an linbh agam. Agus mar a dúirt an Ríordánach, 'Tá Tír na nÓg ar chúl an tí' ages gach éinne againn faid a mhaireann éirim agus aois na draíochta ann féin.

Idir me agus an ceann ba mhó des na hoileáin—rud nár mhaitheas riamh do—bhí Ceann an Dúna féin ag déanamh dhá leath den radharc a bhí agam ó bhéal an dorais orthu, sa tslí 's ná raibh le feiscint i gceart agam ach cuid den Oileán Mór, an fharraige lastuaidh agus laisteas de agus na hoileáin bheaga eile ina thímpeall ar gach taobh. B'é mo cheann féin an ceann is sia ó dheas acu, Inis Mhic Fhaoileáin, féna ainm dhraíochta.

Bhí ár dtighne ar leithligh leis féin. Muintir an Dúna a thugtaí

31

orainn; Tomás an Dúna ar m'athair, agus Seán an Dúna ar m'athair críonna, beannacht Dé na nGrást leo araon! Idir me agus Ceann Sléibhe is ea a bhí an Com, nó Com Dhíneoil, chun a theideal ceart a thabhairt do. Cé ná raibh an Com ach ceathrú mhíle slí uainne, ní déarfaimís riamh gurb ón gCom sinn, n'fheadar canathaobh é. B'é an Com ár mbaile fearainn. Is ann a théimíst ag bothántaíocht agus ag cúirtéireacht agus ag imirt chártaí san oíche. Nuair a bhíodh an fear siúil ar lic an tinteáin againne, mar do ghnáthaídíst an tigh againn, bhíodh muintir an Choma chughainn chun tamall den oíche a chaitheamh inár bhfochair agus an saol lasmuigh a chur tré chéile leis an bhfear deoranta. Is i dteannta ghramaisc an Choma a théimíst ar scoil soir go Dún Chaoin, agus is ina bhfochair a thagaimíst abhaile tráthnóna. Níor dheineadar san aon ní riamh as an slí ná go mbeadh lámh againne ann dá mbeadh aon neart againn air. Dhéanfaimís comhar le chéile ar ithir agus ar phortach, agus dá mbeadh fear le léasadh ar aonach is le muintir an Choma a sheasóimíst.

Bhí ár gcuid talún ar leithligh ar an slí chéanna: an Dún Mór mar ritheann, na Feorainn ar leibhéal i lár báire ag rith ó Bhléin an Dúna lastuaidh go dtí tráigh an Choma laisteas. Ansan idir sinn agus Dún Chaoin ar ghualainn Shliabh an Fhiolair, Páirc an Dúna agus na Buailtíní Rua, an Tuar lastuas mar a gcuirtí na ba san oíche, agus mar sin anuas go dtí barra thráigh an Choma féin. D'fhág san go raibh aon ní amháin againn ná raibh age mórán daoine sa taobh tíre sin—an fheirm go léir a bheith ar leithligh léi féin gan oiread agus aon acra amháin di scaipthe i measc talamh na gcomharsan. Ba mhór an áis é seo, comh maith leis an saoráid a bhí ag roinnt leis ar shlite eile. Mar is mó tranglam agus achrann dóite a tháinig as an scaipeadh seo ar thalamh na gcomharsan nuair a dh'éiríodh eatarthu d'iarraidh ceart na slí a bhaint dá chéile anois agus arís.

Ba bheag é tuiscint na ndaoine ar Bhéarla sa Chom, ní abraím é a labhairt, agus mise ag éirí suas ann. Bhíodar comh neamhthuisceanach san ar an mBéarla ná creidfidíst in aon chor thu dá ndéarfá leo go raibh focail Bhéarla á úsáid trína gcuid Gaeilge acu. Do ghaibh fear an treo, is cuimhin liom, aon lá amháin. Ó Bhaile Átha Cliath, a déarfainn, ab ea é, ach máb ea, ní haon easpa Gaeilge a bhí air. Bhí Paid Ó Mainnín, lá éigin, roimis agus é ag aoireacht a chúpla bó roim eadartha ar phlaincéadaí an bhóthair aniar ón gCom. Bhí an Mainníneach, mar a thugaimíst air, ina bhástcóta agus ina threabhsar plainnín, agus gan de chosaint ón mbóthar air ach a bhoimpéisí. Níor chás do san mar bhí an uain go haoibhinn. Lasmuigh de bhriseadh na trá díreach is ea a bhí báidín seoil éigin, agus í anonn 's anall ar a camaruathar di féin d'iarraidh tamall den maidean a mheilt.

'N'fheadar cad tá sí siúd a dhéanamh amuigh,' ars an stróinséir le Paid; aon ní chun cainnte a chur air.

'Bheirimse 'Dhia ná feadarsa ach oiread leat,' a dúirt Paid.

'Ní haon chló iascaigh atá uirthi ach go háirithe. Is dócha gur ag practiseáil atá sí.'

'Practiseáil?' ars an stróinséir. 'Ach nach focal Béarla é sin agat?'

'Ar mh'anamsa féin féin nach ea,' arsa Paid, suas leis an bpus aige, 'ach focal breá Gaelainne atá riamh againn agus age n-ár muintir romhainn.'

'Ach, ná déarfá gurbh fhearr d'fhocal "cleachtadh" go mór ná é, agus canathaobh nach é athá agat?' a dúirt an stróinséir thar n-ais.

'Tá sí ag déanamh cleachtan ('cuileachta' a bhí i gceist age Paid, gan dabht) di féin, más ea ní mór an chleachta d'éinne eile í, dá bhfanfadh sí go hoíche ann.' Bhí an stróinséir in achrann go maith anois, dá dtuigfeadh sé é, agus nach leis a bhí an t-ádh nár thuig. D'imigh sé leis barra na trá soir agus é ag tochas a chinn.

Is cuimhin liom gurb é an chéad fhocal Béarla a bhí agam féin sarar chuas ar scoil in aon chor an focal 'sure.' Bhí a fhios agam, ar shlí éigin, nárbh aon fhocal Gaeilge é, agus mheasas gurbh é an Béarla a bhí ar 'shiosúr' é ar feadh abhfad. Bhí an focal 'safety pin' againn go léir ó fáisceadh as an bhfallaing sinn; do taibhsíodh dom gurbh aon fhocal amháin é, agus gur focal Gaeilge é, nó gur cuireadh ar scoil mé. Ach geallaimse dhuit nach fada a bhíos á dheighilt agus á scagadh óna chéile ansan, san am is go raibh an 'Common Noun' lá éigin, an seana-Mháistir Ó Dálaigh, críochnaithe liom. Mar aon Bhéarla a bhí i measc na ndaoine, is ar scoil a phiocadar suas é—compulsory English na Gaeltachta, rud ná cloisfeá puinn trácht thareis riamh—ach an té ná raibh puinn caitheamh i ndiaidh na scoile aige, bhí san i dtaobh leis an gcaolchuid d'aon ní ach a raibh tugtha aige leis ó chois an chliabháin. Ach má mhúin an 'Common Noun' Béarla dhuit do mhúin sé go maith dhuit é, agus Gaeilge agus gach aon ní eile comh maith. Mar dob é an máistir scoláirí dob fhearr sa taobh tíre sin é, agus iad go léir a chur le chéile. Dob é an t-oide múinte dob fhearr dá raibh riamh orm féin é, ar aon nós.

Ollscoil ab ea Dún Chaoin féin riamh, agus is ea fós, agus ní raibh sa bhunscolaíocht ach comharthaí sóirt seachas a raibh de thabhairt suas agus d'oiliúint le déanamh ina dhiaidh san ort. Mar bhí oideachas an chrosaire agus an bhóithrín rómhat amach. Bhí beagán den lúbaireacht le foghlaim agat, mara raibh sí ionat féin ó dhúchas. Bhí mná óga le hionnramháil agat, agus le seachaint, uaireanta, agus do leordhóthain le déanamh agat san am 's go mbeadh do dhíntiúirí bainte amach san ealaín chéanna agat. Bhí filíocht agus fiannaíocht rómhat, seanchas agus seandraíocht, agus gach aon ní eile dob fhearr ná a chéile. Nuair a bheadh do bhóithreoireacht istigh agat agus tu traochta ag an slatfhiach, do luífeá isteach leis an mbothántaíocht. Agus is anso i bpoll an iarta agus ar lic an tinteáin a bhí barr slachta le cur ar do chuid oideachais go léir agat. Anso a gheofá an léiriú ar Eoghan Rua agus ar Phiaras Firtéar agus ar Sheán Ó Duinnshléibhe; ar an nGlas Ghaibhneach, ar an nGobán Saor agus ar Mhac na Baintrí ó Éirinn. Ins na scoileanna so cois tine do fuaireamair aithne ar Mhadra na hOcht gCos agus ar an nGadaí Dubh, agus is minic a bhí crith chos is lámh orainn ar an mbóthar abhaile le heagla roimis na hamhailteacha móra dubha go raibh a bpictiúirí go beo inár n-aigne fós ó bhéal an tseanchaí. Bhí triúr seanchaithe ar an mbaile an uair úd, agus gach éinne acu níb fhearr ná a chéile. Ní hamháin go rabhadar oilte ina gceird mar sheanchaithe ach bhí a ndíntiúirí ar shlite eile acu comh maith. Chuirfidís focail ar a bhfaobhar duit ina ngnáthchainnt, le cruinneas agus le líofacht agus le blas ná raibh ag an gcuid eile againn in aon chor. Ba threise ná san iad ar an ndeisbhéalaíocht; an abairt ghiorraisc, an focal pras, an dá fhocal in ionad an dosaein, dob iad a bhí deas air.

Bhí tarrac na gcéadta ar an áit agus mise ag éirí suas im leanbh ann. Cuairteoirí aonlae ab ea iad, a bhformhór, agus is ó choláiste Gaeilge a bhí sa Daingean an uair sin a thagadh cuid mhaith acu chughainn. 'Laethanta Breátha' a thugaimísne mar leasainm orthu, ainm sheanabhlastúil, mar dhe ná raibh aon fhocal eile Gaeilge ina bpus ach an beannú so a dhéanfaidíst ar an mbóthar duit leis an dá focal—'Lá breá!' Is minic, nuair a chuimhním ar an scéal ó shoin, a deirim liom féin dá gcuardóidíst an teanga ó cheann ceann gur dheacair dóibh aon dá fhocal a tharrac chúchu ba dheacra dhóibh a rá ó thaobh na foghraíochta ná an dá fhocal chéanna, go mórmhór agus an 'L' mór leathan atá againn i nDún Chaoin a thairgímíd aníos amach as ár sceolmhaigh, agus an tsuaithinseacht foghraíochta a leanann an focal 'breá' againn. 'Generi-tex-i-u-m' a deireadh fear ar an mbaile againne, mar dhe go raibh rud éigin aige nár thuig éinne ach é féin, rud a bhí; agus nuair a bhaineadh sé leathadh as do shúile leis an gcarúl cainnte sin, d'fhéachfadh sé ort agus déarfadh, 'Is gránna é ceal na foghlama.' N'fheadar cad déarfadh sé leo súd, mar dob shin ionú acu súd leis é. B'fhéidir ná beadh sé comh dian san orthu, áfach, mar is amhlaidh ba bhreá dhóibh siúd é.

Ach, dar ndóigh, ba chuma linne, agus ar aon nós níor thuigeamair é ag an am. Agus do bhídíst ana-lách ar fad linn. Ar chóistí a thagaidís tímpeall, an chuid ba mhó acu; a thuilleadh acu ar mhótar-rothair, agus fothdhuine acu ar ghluaisteán, ní mór é. Gach Domhnach tar éis Aifrinn is ea a bhíodh ár súile anairde leo. Bheimíst thíos ar bharra thráigh an Choma fé bhun an tí agus gramaisc an bhaile inár dteannta ag faire ar Charraig an Chinn agus an bóthar aneas. Is í an gluaisteán an chéad cheann a chímís chughainn agus ceo bóthair ina diaidh aniar; níor ghá dhuinn aon chomhartha eile, bhíodar chughainn. Cóistí i ndiaidh a chéile aniar, agus an comhluadar gealgháireatach meidhréiseach á thabhairt go tráigh an Choma acu. Lá fén dtor ab ea é an lá a bheidíst ann. Bhí aithne mhaith acu ar mo mhuintirse, agus nuair a scoiridís na capaill do scaoilidíst amach ar na Feorainn iad, mar a raibh scóp a ndóthain acu. Bhíodh fuirse ceart inár dtighne d'iarraidh uisce fiuchaidh a choimeád ullamh dóibh. Mar ná bíodh aon áiseanna cócaireachta age cuid mhaith acu, ach ag brath ar chabhair Dé, mar bhí a fhios acu nach aon doicheall a bhí rómpu faid a bhí mo mháthair ann agus a lámh sa roinnt aici. Is leis an Seabhac is mó a bhíodh mo shúil féin anairde, is cuimhin liom. Bhí mótar-rothar aige siúd go raibh cliabhán air, agus ní raibh aon lá dá dtagadh sé ná go bhfaighinn féin síob sa chliabhán uaidh.

Dob aerach an paiste é tráigh an Choma an uair sin, tráthnóintí Domhnaigh sa tsamhradh. Do thagaidíst ó Dhún Chaoin ann tar éis aifrinn; do thagadh, agus muintir an Oileáin féin, cuid mhaith acu, mar bhí a dtarracsan riamh ar an dtigh againne toisc buannaíocht a bheith istigh acu ann. Thíos ar bharra na trá a bhíodh an comhluadar go léir, agus iad sínte ar a gcraodó ag faire ar na stróinséirí uathu síos ar an ngainnimh á ngrianadh féin agus á dtomadh féin san uisce. Ní mór an cion a bhí ar an snámh riamh age fear Dhún Chaoin, agus is lú san de chion a bhí age fear an Oileáin air, dálta an chait agus an bhainne te, ní foláir. Ní théadh aon lagadh orthu lastnairde ach ag déanamh iontais den ndream thíos, agus an éagantacht go léir a bhíodh ar siúl acu ná fanfaidís glan den bhfarraige agus a suaimhneas a cheapadh.

'Nach mór an neamhaistear é,' a déarfadh an Mainníneach. 'Is

PAID Ó MAINNÍN

agus gan a bhoimpéisí féin air

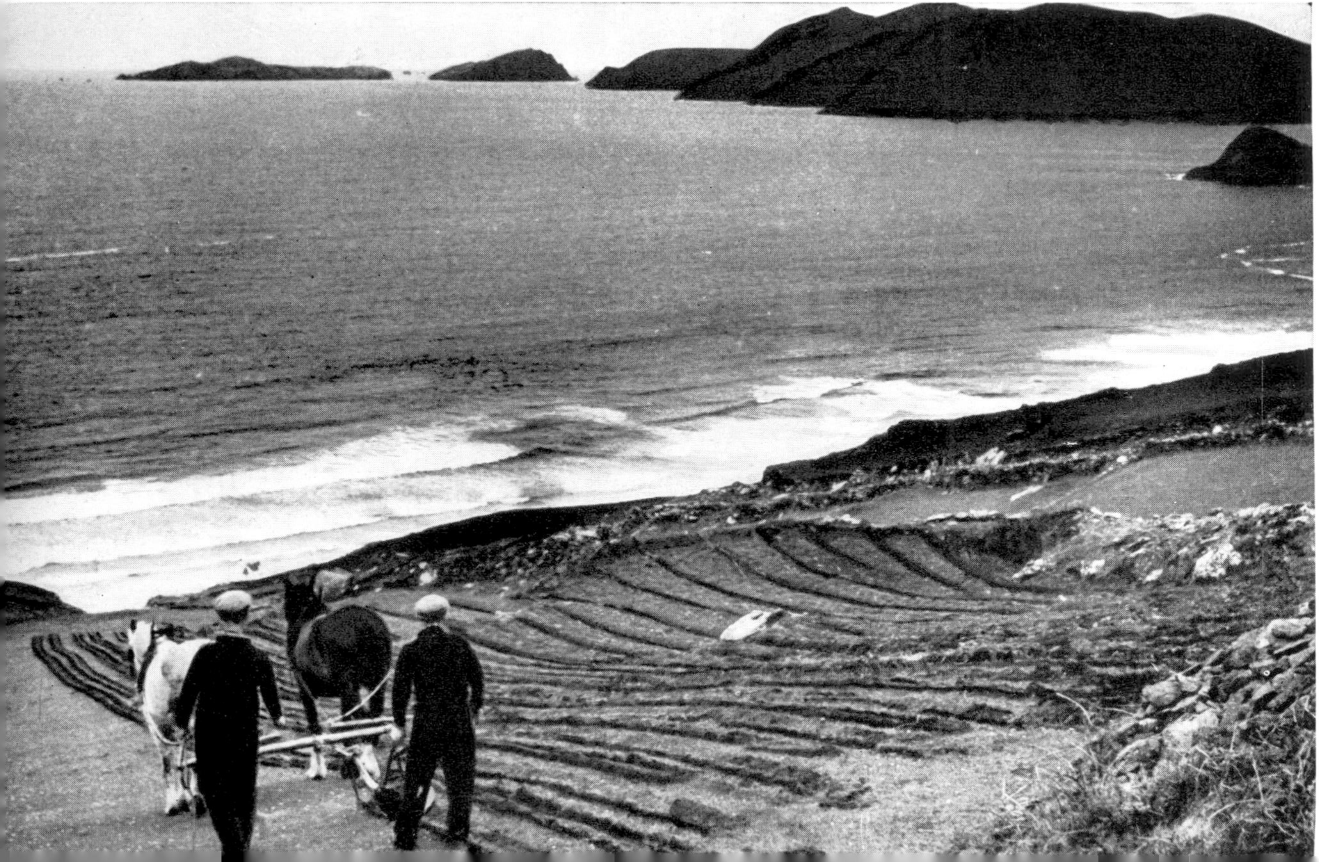

Barra
thráigh
an Choma

fuirist a aithint orthu súd ná fuaireadar puinn suathadh riamh ón bhfarraige. Ar mh'anam féin féin dá bhfaighidís gurb é a mhalairt de chúram a thairgeoidís chúchu.'

'Mo ghrása Dia,' a déarfadh Séamas Beag ó Bhaile an Ghleanna, agus é ag faire uaidh síos, 'nach breá an ailp mhná í siúd atá ag déanamh amach ar an uisce anois. Nár dheas an coca í chun luí ina foithin oíche gheimhridh nuair a bheadh na feothain gheala tríd an mBá aniar, in ionad na ngreathallacha diaile fuara a cheap Dia dhuinn féin . . .'

'Ar mo leabhar,' a déarfadh fear eile, ag séideadh fé Shéamas, 'ná fuil aon oidhre uirthi ach tóithín. Nár lige Dia dhuit í; conas a chothódh ár leithéidíne í sin?'

'Ligeant di a bheith á cothú féin léi, a mhaoineach. Mo ghrása Dia, lig dom féin sara raghad a thuilleadh . . .'

Is maith a bhí a fhios ag an gcuideachtain go raghadh, agus a thuilleadh eile, ach teannadh leis, mar dob é Séamas an fear ba dheisbhéalaí dá raibh i nDún Chaoin riamh. Bhí an chainnt ar a thoil aige, agus is é a bhí deas ar í a chur le chéile agus a thabhairt amach.

'Is minic a bhí a leithéid sin sothógtha,' a déarfadh Gearaltach an Choma, mar bhí an diabhal air chun an teasa do choimeád san iarann. 'Mar níl aon scrothaíocht mar sin inti, ach í a bheith teann leathan inti féin.'

'Ocras agus saoráid a thabhairt di,' a déarfadh Séamas, 'agus mise fé dhuit nach fada a bheadh sí ag teacht leat. Mar tá an cille fúithi agus í glan fúithi thíos, agus is maith cruaidh an briota gaoithe a chuirfeadh dá treoir í.'

B'ionann bean agus bád i measc an chomhluadair seo i gcónaí. 'Nach deas an bád í' a déarfaí le bean go mbeadh aon dealramh maith uirthi.

'N'fheadar an mbeadh sí baoth,' a déarfadh Seán Ó Mainnín an Choma. Fear ab ea Seán a bhí tamall thall agus abhus, agus dh'fhaigheadh sé ana-bhlas ar a leithéid seo d'allagar cainnte, go

39

mórmhór nuair a bhíodh Séamas mar Cheann Comhairle acu. 'Ní déarfainn go bhfuil a dóthain de chille fúithi agus dá mbéarfadh an chóch uirthi nárbh aon iontaoibh í.' Righneadóir ceart ab ea Seán, agus bhí féith an ghrinn gan fhios ann. Do ligfeadh sé leath-shúil mhór bhog tímpeall an chomhluadair agus an lúbaireacht ag briseadh trína chúntanós amach ag feitheamh le cad déarfadh Séamaisín thar n-ais.

'Dhera, a mhaoineach, conas a bheadh sí baoth, ach a dóthain ballasc a choimeád inti agus gan an iomarc den siota a ligeant léi . . .' a déarfadh Séamaisín.

B'shin é an leibhéal. Cainnt shamhlaoideach ar fad agus gan aon nath á chur ionainne ina measc istigh, ba chuma cén t-aos éinne againn. Ach níor ghnáthaí sinne ina measc ná i bhfochair na stróinséirí thíos ar an dtráigh, mar a raibh an gabhar á róstadh. Do thugaimíst an lá ar fad ina bhfochair ag teannadh chainnte leo, rud a bhí uathu. Mar dhíolaíocht as ár saothar, do gheobhaimíst ár gcantam des na sólaistí breátha a bhíodh le n-ithe i gcomhair an lae acu féin, milseáin, úlla, cístí mílse, agus aon ní a bheadh ag imeacht. Is minic a shínidís réal nó scilling chughainn leis, ach ní bhíodh puinn lúb istigh san airgead againne toisc gan aon tsiopa a bheith i ngiorracht trí nó ceathair de mhílte dhuinn. Is iad na sólaistí a bhíodh uainn mar ná raibh age baile againn ach an bia tur, leamh: tae agus arán chun bricfeast, agus má bheadh an t-ubh ann é a dh'fhágaint ag an athair; prátaí agus iasc agus bainne géar chun dinnéir, agus, ar do sheans, blúire feola i gcomhair an Domh-naigh. Uaireanta, b'fhéidir go raghadh caora le faill tar éis í a thiteam de dhraip éigin, agus gur amuigh ar an bpoll a chífeá a corp nuair a bheifeá ag cur na coda eile dhon loc i ndéanaí an lae. Más ea, ní fada a bheadh sí ann nuair a bheadh naomhóg sáite síos agus í beirthe abhaile. An craiceann a bhaint di ansan agus í a ghlanadh amach, agus bheadh caoireoil siar síos linn go ceann seachtaine.

Do théadh cuid mhaith caeireach ón Oileán le faill mar seo,

mar bhí na drochfhaillteacha ann, agus is minic gur ar chladach ar thaobh an Dúna a bhuailfeadh ceann acu leat tar éis í a bheith caite isteach ag an bhfarraige ann de réir na taoide a bheadh ann, agus an aimsir. Más ea, an té a gheobhadh an ailp í a choiméad, mar b'shin í dlí na farraige. 'Bíodh an deach acu, a Mhamach,' a deireadh Stail an Choma lena mháthair (b'í sin Máire Ní Bhrosnacháin). 'Easna caoireolach a bheith ar do phláta agat, ambaiteach, agus nach cuma dhuit sa diabhal cad as a tháinig sí. An té go bhfuil caoire aige, a Mhamach, tugadh sé aire dhóibh.' Ní raibh aon chaoire riamh age Stail, mar ná raibh aige ach é féin agus a Mhamach, mar a thugadh sé uirthi, agus a dhóthain de chúraimí an tsaoil air á gceal. Ach buailfidh sé arís linn, le cúnamh Dé, mar duine ann féin ab ea Stail.

B'shin é an saol againne faid a mhair an samhradh agus na 'Laethanta Breátha.' Nuair ná beidís seo inár measc, is ag iascach ón gcloich a bheimís le doruithe. Spiairlintí gainnimhe á bhaint ar lag trá againn mar bhaidhte dos na pollóga. Le corráin a bhainimíst iad so, agus do chaithfeá a bheith cosnochtaithe agus má bheadh treabhsar fada ort é a bheith trusálta suas go dtí do ghlúine ort. Dul síos isteach go bun toinne ansan, agus do chorrán a ropadh sa ghainnimh, imeacht i leith do thóna agus do chorrán á tharrac id dhiaidh agat, go dtí go mbraithfeá an spiairlint ar bhior do chorráin fút thíos. Cor a bhaint as an gcorrán ansan chun na spiairlinte a thabhairt ar barra agus comh luath in Éirinn agus chífeá í léimeadh sa mhullach uirthi agus í a bhualadh chughat. Mara ndéanfá san bhí sí éalaithe uait tríd an ngainnimh sara mbeadh a fhios agat í a bheith agat. Bhí na seanabhuachaillí abhfad níos aicillí tímpeall orthu ná sinne, agus is é a dheineadh cuid acu san nuair a bhainidís cor as an gcorrán, bonn a gcoise clé a chur roimis agus an spiairlint a theanntú dhon iarracht san. Ach leanann a contúirt féin an ealaí sin; dá mbuailfeadh 'maor' leat, breac go bhfuil clipe nimhneach trína dhrom aníos, agus a mhaireann sa ghainnimh ar nós na spiairlinte, go bhfágfadh sé cabhán ort agus ná dearúdfá ar feadh tamaill é. Chonacsa m'athair críonna féin maislithe go maith age ceann acu so aon lá amháin, ach gur chúb sé in am uaidh. Ina dhiaidh san agus uile, d'fhág sé freangaí air, agus bhí sé gan puinn ráis ar feadh dó nó trí dhe laethanta.

Faid a bheimísne ag gabháil dos na spiairlintí mar seo, bheadh fear eile uainn soir trís na cladacha ag baint phortán chun slaimice a bheith aige dos na ballaigh. Níor mhór dhuit fios do ghnótha a bheith agat sa chúram so. Ar dtúis, níor mhór dhuit eolas na nduimhche a bheith agat mar a lonnaíonn siad. Fé uisce ar lag trá is fusa teacht orthu, agus is gnáthach collach agus fuaisceán a bheith ins gach dumhaich acu. Poll nó cabha cloiche is ea an dumhaich, agus is í nead an phortáin í, mar a déarfá. Nuair a chuirfeá do lámh isteach inti chun breith ar an bportán istigh, níor mhór dhuit an-aicillíocht a bheith ionat agus a fhios a bheith agat conas breith air. Ní haon iontaoibh ordóg phortáin agus is mó fear maith gur fhág sí cimiar air, ach dá mbéarfadh sé istigh ina dhumhaich ort is ansan nár mhór dhuit a bheith ag breith chughat féin. Ach ní thugann éinne fé ach an té atá deas air, agus an t-amadán. ✓

Tar éis an iascaigh ansan, dul i ndiaidh na gcaeireach nuair a bheadh an ghrian ag maolú léi siar síos ós cionn na nOileán agus an t-uisce go léir ar dearglasadh tríd an mBealach aniar gur dhóigh leat gurbh é an cosán óir isteach go Tír na nÓg é. Nuair a bheadh na caoire loctha agat, suí síos agus féachaint uait isteach trasna an Bhealaigh ar an Oileán féin, agus gan idir tu agus é ach leathmhíle éigin d'fharraige. Sceamhaíl na ngadhar istigh le clos amuigh agat, agus gur bhreá led chroí dá mbeadh cleiteog éigin báid agat go n-ardófá seol uirthi agus go mbuailfeá isteach. Mar istigh a bhí an draíocht go léir; an draíocht ná tuigeann éinne ach an té a thógtar ar imeall uisce agus a thugann a lá agus a shaol ag féachaint dá dhroim siar go dtí bun na spéireach.

Ach ní fada a bheadh an draíocht so ag scaipeadh nuair a thiocfadh dúluachair na bliana tímpeall arís, agus ní raibh ann ach brionglóid shamhraidh nár mhair abhfad. Nuair a shéidfeadh sé tríd an mBá

aniar agus madra taoide ag caitheamh ina choinne, is ansan a chífeá
na bléitsí móra ag briseadh agus an fharraige cháiteach ag teacht
aníos ar an bhféar glas. Deirimse cosán óir agus draíocht ansan leat,
ach mar sin féin nach breá gurb shin é an pictiúir a mhaireann sa
chuimhne nuair a théimíd siar trí phóirsí fada dorcha na mblian.

IV

BA GHEALL le tír inti féin an cúinne seo den nGaeltacht agus sinne ag éirí suas ann. Bhí dúthaí fairsinge an Bhéarla uainn soir agus gan aon chur amach againn orthu. Bhíomair inár n-inis ar speir thalún agus ár saol féin againn, agus ba bheag tinneas a chuireadh cúraimí na dtíortha lastoir in aon chor orainn. Pósadh nó baisteadh nó bás inár gcúinne beag féin, nó, b'fhéidir, thall i mBoston nó i Springfield Mheirice mar an raibh cuid mhaith dár ndaoine muinteartha, b'shin iad na cúrsaí ba chás linn. Bhí ráiseanna capall ar Thráigh Fionntrá againn uair sa mbliain, agus lá eile fén dtor againn i mBéal Bán i bparóiste Dhún Úrlann. Bhíodh lá eile againn i mBaile na nGall nuair a bheadh ráiseanna na mbád ann Lá 'le Muire sa bhFómhar, agus oíche scléipe agus ragairne ina dhiaidh san. Teacht an Easpaig go Baile an Fhirtéaraigh agus Lá 'le Gobnait i nDún Chaoin féin, b'shin dhá lá eile, agus dá laghad iad, iad ag ciorrú na bliana dhuinn de réir mar thagaidís tímpeall. Gan aon mhairg á chur ag an saol lasmuigh orainn, ná aon bhaint againn leis, ach an litir ó Mheirice agus an fear siúil ós na dúthaí abhfad i gcéin a bhuaileadh chughainn isteach agus a thabharfadh an oíche fé dhéin an tí againn.

Leabhar ná páipéar ná raidió ní bhíodh againn, ná aon chuimhneamh orthu, ach ag brath ar a leithéidí seo chun deorantacht an tsaoil mhóir lasmuigh a bhreith ar a dteangain chughainn. Bhíodh fáiltí geala, is cuimhin liom, roim éinne amháin des na fearaibh siúil seo, fear de mhuintir Mhaolfhábhail (Lavelle) ó áit éigin in iarthar Éireann, Contae Mhaigh Eo, a déarfainn. Éamann Lavelle a thugaimíst air. D'íosfadh Éamann an folcadh te, agus n'fheadair éinne ach an biaiste a dheineadh sé ar an bpláta éisc a leagtaí ós a chomhair i gcomhair suipéir. Maircréil bhuíthe nó pollóga glasa aníos as an bpicil, ba chuma leis cé acu, ach goblach éigin a bheith roimis amach a dhéanfadh annlann leis na seaimpíní dho.

File ab ea Éamann, máb fhíor, agus fáidh agus réadóir ina cháilíocht féin. Ach nuair a bheadh a shuipéar caite aige, ní haon fhonn filíochta ná réadóireachta a bhíodh ar an ainniseoir bocht, agus is leasmháthair a thógfadh air é tar éis a lae. Ach bhí fliúit stáin aige a thairgíodh sé chuige cois an iarta, agus a chos ar a leathghlúin aige, agus ní mór ná go dtógfadh sé na mairbh as uaigh leis na poirt agus leis na ríleacha breátha a bhíodh á sheimint aige dhuinn. Seán Ó Maoileoin, m'athair críonna, ar an dtaobh eile dhen dtine agus iad araon ar gach re port, duine acu ar an bhfliúit agus an fear eile ag portfheadaíol, agus nárbh fhios cé acu dhen mbeirt acu dob fhearr.

Ní bheadh Éamann an tarna lá ar an gcósta in aon chor san am is go mbeadh an cleas óg go léir ina thímpeall. Chun a bhfoirtiún a dh'insint dóibh a bhídís seo ina dhiaidh, mar bhí a ainm anairde ar an gceird seo. Do thagadh lucht an Oileáin féin ag triall air d'aonghnó ghlan lena gcuid réalacha. Béarla ar fad a bhíodh ag Éamann dóibh ins na cúrsaí seo, ach chuiridís féin iad féin i dtuiscint dá chéile, gabhaimse orm. Cúrsaí grá is mó a bhíodh aige dhóibh, agus conas a chuirfeá glas teangan ar chúrsaí dhen tsórt san? N'fhéadfá é, ná aon dul air. Do chuireadh Éamann trína n-úmacha go maith uaireanta iad leis na rudaí a nochtadh sé dhóibh, agus ní thuigeadh éinne conas a dh'fhéadfadh stróinséir ná raibh focal Gaeilge ina phus na rúindiamhra móra a bhíodh aige dhóibh a sholáthar gan diablaíocht éigin a bheith aige.

Níorbh aon ní é sin go ndúirt Éamann aon oíche amháin, agus an Gearaltach agus Micil Ó Cíobháin, fear na gcnámh, agus Maidhc Sheáin Uí Shé ar an dtinteán againne, go raibh clais óir le fáil fé Ghallán an tSagairt ar bharra an Dúna, an té a raghadh ag triall air agus dul síos a dhóthain. Ar bharra fioraí an Dúna a bhí an gallán so ina sheasamh, agus dob é an chéad rud a bhí le feiscint agat idir tu agus léas é nuair a chuirfeá do cheann thar dhoras ár dtíne. Bhí brainnsí den Oghamchraobh ar dhá ghualainn an ghalláin seo, agus comh fada agus is cuimhin liom anois dhein duine léannta éigin amach gur *EIRC MAC MHIC EIRC* a bhí greanta air. Pé scéal é, bhí sé riamh i measc na ndaoine féin go raibh ór fén ngallán so, agus nuair a chualadar na focail chéanna ón bhfear siúil d'fhéachadar féin ar a chéile. Agus canathaobh ná féachfaidíst? Nár dhiail an obair do dhuine ón dtaobh eile d'Éirinn teacht chúchu leis an gcuntas ceannann céanna a bhí riamh acu féin, ach ná creidfeadh éinne é go dtí so?

'Ambaiste mhóir,' ars an Cíobhánach, tar éis priosla tobac a chaitheamh isteach dhon tine, 'go bhféadfadh an ceart a bheith aige. Nach é a chualamair riamh?'

'Tá's age Dia gurb é,' arsa m'athair. Leis sin, cé bhuailfeadh isteach ach Seán Criothain an Choma, agus é ag séidfaíol ar dalladh mar ba ghnách leis nuair a bhíodh aon chúram in aon chor ar siúl aige, dá mbeadh 's gurb é an tsiúlóid féin é.

'Sea, a Sheáin,' ars an Gearaltach, 'cad déarfá leis seo mar scéal?' ag eachtraí dho mar tharla.

'N'fheadar cad deirim leis,' ars an Criothanach.

'N'fheadaraís?' ars an Cíobhánach. 'Ach an ngéillfeá dho?'

'Ghéillfinn, tása Dia, cumá ná géillfinn? Aon ní atá ráite riamh. Ná fuil 'fhios agat gurb é an ceart é?'

'An ngéillfeása dho?' ars an Cíobhánach ag iompú ar m'athair. Ach fear ab ea m'athair nár ghéill d'aon ní riamh ná feacaidh a dhá shúil féin. Ní chuireadh sé aon nath i seanaimsireacht ná i bpúcaí, agus níorbh aon mhaitheas a bheith leis. Díth céille ab ea na rudaí seo ar fad, a deireadh sé, agus níor mheasa an té a chum agus a cheap iad ná an té a bhí á gcraobhscaoileadh. Ní bhfuair an Cíobhánach de thor uaidh ach 'n'fheadar,' agus is nath é sin i nDún Chaoin ná tuigeann éinne ach iad féin. Is ionann an 'n'fheadar' so age fear Dhún Chaoin agus 'Tá's agam go maith, ach ní réiteoinn leat,' nó 'd'fhéadfadh an ceart a bheith agat, ach ní ghéillfinn duit.'

Sea, do tháinig oíche chuideachtan as scéal an óir, agus iad go léir ag áiteamh ar a chéile. M'athair á rá ná raibh aon dealramh leis, ná raibh ann ach cainnt san aer. An Gearaltach á rá gur breá bog a bhí sé aige, ambaist; Maidhc Sheáin Uí Shé ag séideadh fén dá thaobh, d'iarraidh iad a chur greamaithe as a chéile. An Cíobhánach idir gach aon dá phriosla d'iarraidh teacht eatarthu agus á gceannsú, mar dhe. Is mar sin a bhíodar nuair a chuir Seán Ó Mainnín a cheann thar doras; fear imris ab ea Seán, ach gan dul rófhada leis, agus níorbh fhada gur bhraith sé ón áiteamh a bhí ar siúl go raibh oíche chuideachtan roimis amach mara ndéanfadh duine éigin spiorspear di.

'Fágaimís fén Mainníneach é,' arsa fear éigin. 'Fear a bhí thall tamall is ea é, agus n'fhéadfadh a leithéid gan eolas a bheith air.' Ní raibh aon tsúil ag an Mainníneach leis an bpleannc so; más ea, is d'aonghnó a tugadh í chun an bhoinn a bhaint uaidh. Ach is deas mar tháinig Seán chuige féin, agus má bhí an oíche curtha i bhfaighid féin air, bheadh an lá amáireach aige dá n-ainneoin glan.

'N'fheicim aon dealramh libh,' ar seisean, 'ná leis an gcaibideal atá ar siúl agaibh. In ionad a bheith ag péacadh a chéile mar thánn sibh, ná fanfadh sibh leis an lá amáireach agus an cheist a phrobháil díbh féin. Níl agaibh ach an gallán a threascairt,' a dúirt sé, 'agus dul síos go mbuailfidh an t-ór libh, má tá a leithéid ann.'

Bhí beirthe ar a thap aige orthu, a dhuine.

'Tása Dia gur aige athá an ceart,' a dúirt an Cíobhánach, 'agus nach breá nár chuimhnigh éinne agaibh air.'

'Tagaimse leat,' ars an Gearaltach, 'agus beidh mé ann comh maith le fear.'

Sin mar bhí. Tháinig an lá amáireach, agus lá meala ab ea é, is cuimhin liom go maith. Tar éis dinnéir, bhailigh lucht an Choma chughainn aniar, ina nduine 's ina nduine. Piocóid age fear. Sluasad age fear eile. Ramhann ag an té a thiocfadh ina dhiaidh san, nó, b'fhéidir, cró. Dream eile agus cláracha acu; cad é greitheal agus fuirse! Bhí fonn oibre ar gach éinne ach ar Éamann bocht. Bhí san corrthónach go maith ar a chathaoir sa chúinne. Fé dheireadh thiar, dúirt sé lem athair críonna nárbh aon áit é seo dho féin anois, agus go gcaithfeadh sé a bheith ag baint choiscéim as an mbóthar. Ach cé bheadh ag éisteacht ach an Mainníneach.

'Ar mh'anam, tása Dia féin, pé ní 's mar dhéanfaidh éinne eile,' ar seisean leis, 'go gcaithfirse fanacht go mbeidh cúram an lae seo dhínn. Is tusa a thosnaigh é agus is tu a chríochnóidh é.'

Bhí Éamann bocht ag breith chuige féin, agus ba bheag an ionadh dho san. Ní go róbhuíoch a bhí sé dhá theangain, ach is lag a shíl sé, is dócha, go dtabharfaí fén obair seo in aon chor. B'shin é a dhearúd, agus ní raibh aon aithne ar mhuintir an Choma aige.

D'imíodar go léir fé dhéin an ghalláin, agus scóp ceart orthu. Bhí Éamann ar adhastar ag an Mainníneach, le heagla gur fonn bóthair a bhuailfeadh arís é. Do leagadh an gallán, más ea ní gan dua é, mar tá sé, is dócha, chúig troithe ós cionn talún agus dó nó trí dhe throithe fé chré dhe. Las fear tine i leataoibh le hordú ó Éamann, pé brí a bhí leis. Is ansan a thosnaigh an rómhar agus an réabadh dáiríribh. Fear ag rómhar agus fear eile ag taoscadh, agus cré lastnairde dhíobh. Bhíodar ag druideam leo síos de réir a chéile go dtí ná raibh le feiscint fé dheireadh againn ach a bplaosc. Ansan dhein beirt eile uanaíocht orthu, agus ba ghearr go raibh an poll ag cúngú de réir mar bhíodar ag druideam síos.

'An fada eile síos a chaitheam dul?' arsa fear.

'Leanaídh libh,' arsa Éamann, 'bíodh foighne agaibh.'

'Ach tá an poll so ag cúngú,' ars an fear thíos, 'agus is gearr go mbeimíd teanntaithe.'

'Más ea,' ars an fear anairde, go tiarnúil, ambaic, 'níor tosnaíodh leathan a dhóthain as a bhéal é.'

'Ab é a mheasann tú a rá linn go gcaithfeam tosnú arís?' ars an Gearaltach, fear ná raibh aon fhocal as le tamall.

'Caithfear an poll a dh'fhairsingiú más fonn libh dul síos a thuilleadh,' a dúirt fear na fliúite. Bhí athrú éigin tagtha air siúd anois, díreach fé mar bheadh an t-aethó curtha aige dhe, agus bhí orduithe á chur ar dhaoine aige.

Do tháinig an bheirt aníos, agus baineadh a thuilleadh scraithíní d'uachtar na talún. Bhí piocóidí agus sluaiste agus pící anois agus iad go léir ag obair ar dalladh. Bhí daoine ag baint na gcos dá chéile fén am so, mar bhí gramaisc an bhaile go léir bailithe, agus fiú amháin cuid des na seanamhná nár dh'fhág poll an iarta le bliain, bhíodar tagtha ar láthair an spóirt comh maith leo.

'Tiocfaidh ór as so fós,' arsa Seán Ó Mainnín, 'ná bíodh eagla oraibh. Tiocfaidh ar mh'anam, ach foighne a bheith agaibh.' Do bhí an diabhal ar Sheán bolgshúileach an mhagaidh céanna.

Bhí m'athair ann agus gan aon fhocal as. Ach thuig sé an scéal, agus thuig sé an fuadar a bhí fén bhfear siúil.

'An fada eile síos a raghfar?' a dúirt sé ag féachaint ar an mbacach.

'Caithfear dul síos go dtiocfar ar an ór,' arsa Éamann. Bhí a fhios ag Éamann anois go rabhadar aige.

'Tá an ceart aige, ambaist,' arsa Bolgshúil lastuas. 'Ní dúirt an fear maith seo aon ní libh ach go raibh an t-ór fén gcloich. Agus níl sé bréagnaithe fós.'

Bhris ar an bhfoighne ag an nGearaltach, agus léim sé aníos as an bpoll. Léim an fear eile ina dhiaidh. 'I gcuntais Dé,' ar seisean, 'cén neamhaistear agus cén díth céille a bhí orainn in aon chor agus géilleadh dhon alfraits sin. Dar an leabhar ná fuil tuillte aige ach é a chaitheamh síos dhon pholl ar bhior a chinn agus é a dh'fhágaint thíos.'

'Sea,' arsa fear eile, 'agus an gallán a chur anuas air.'

'Ar mh'anam gurb ea, mhuis,' arsa triúr, ceathrar. Nuair a bhraith Éamann bocht an fuadar a bhí fúthu, níor dhein sé aon ní in aon chor ach cur sa rith. Más ea, cuireadh cor coise fé, agus leagadh. Rug beirt air, agus do ropadar síos dhon pholl é, agus bhí cúpla scaob chré caite anuas i mullach an chinn air nuair a labhair m'athair. 'Scaoilídh leis,' ar seisean. 'B'fhéidir go bhfuil a dhóthain de mhurchadh an lae inniu feicthe aige, cé nach é a mhalairt a bhí tuillte aige.' D'imigh Éamann bocht leis go maol-chluasach taobh an Dúna síos, agus n'fheacthas ó shoin é. Bhí rud ar chuid againn nuair a chonacamair ag imeacht é, mar bhí a fhios againn ar shlí éigin ná cífimís choíche arís é. Agus n'fheacamair.

   Is dócha go bhfuil an fear bocht ar shlí na fírinne anois, mar tá suas le dathad blian ann ó chuir sé ag réabadh agus ag rómhar fé Ghallán an tSagairt sinn. Má tá, go dtuga Dia solas na bhFlaitheas dá anam. Agus má chuir sé tráthnóna samhraidh i bhfaighid orainn, níor mheasa é ná sinn féin a thóg aon cheann de, ná de Sheán Ó Mainnín ach oiread leis. Ach ní raibh a fhios againne an uair sin —mar bhí sé imithe ar feadh abhfad sara bhfuaireamair amach é— gur ó cheartlár Ghaeltacht Mhaigh Eo Éamann an diabhail bhuí céanna, agus an Ghaeilge ar a thoil aige, gan dabht. Agus ní raibh aon fhocal a thagadh amach as bhéal na ndaoine ná tugadh sé thar n-ais ina chuid 'fáistiníochta' dhóibh. Nár dhiail an tseift í, agus gan éinne dhen ndream go raibh an bhraighteáltacht go léir iontu, dar leo féin, a dhul amach uirthi.

V

ACH MÁ IMIGH ÉAMANN FÉIN, bhí Éamainn eile againn. Bhí Paid
Ó Mainnín, athair Sheáin againn. Bhí Seán Criothain na séidfaíola
againn, fear a bhí deas ar scéal a insint agus ar scailp bhreá éithigh
a chumadh nuair ab fhuar leis do bhlas ar an bhfírinne. Bhí, agus
bhí Stail an Choma againn, é féin agus a Mhamach go dtugtaí
Máire Boy uirthi, n'fheadar canathaobh. Ach níor thug Paid riamh
uirthi ach a Mhamach, ambaiteach; béas a bhí aige é sin, -ach a
bheith i ndeireadh gach aon tarna focail aige, agus nuair a bhíodh
a bhéal lán de thobac agus na prioslaí ar sileadh siar síos leis, is
maith an té a thuigfeadh a raibh ag teacht as an mbéal san.

Déanamh an choca féir a bhí ar Stail. É íseal, téagartha, agus é
leata anuas ar an dtalamh ar fad; dinnc fir agus neart an asail ann.
Aon lá ná beadh oiriúnach d'aon obair eile, bheadh sé siar agus
aniar fé bhun ár dtíne lena asal agus lena úim ag tarrac ghainnimhe
ó thráigh an Choma. Nuair a bhíodh an lá bog nó fliuch mar seo,
bhíodh gach éinne sa Chom ag tarrac ghainnimhe. Le leathadh ar
an mbuaile a bhíodh an ghainnimh uathu, mar ní hamháin go
gcoimeádadh sí an bhuaile deas tirim ach do chuireadh sí an
t-aoileach agus an leasú i bhfad dóibh, i gcás nár ghá dhóibh
oiread feamnaí agus iascán a tharrac san earrach le cur ar na prátaí.
Coimeádann sí an teas sa talamh leis, de réir dealraimh, agus tá
aon ní amháin ar ar maith í, go gcoimeádann sí aon talamh go
bhfuil mianach an aitinn ann mín, glan. Chonacsa brat gainnimhe
léi féin á leathadh age m'athair ar pháirc thalún go raibh an
t-aiteann ag brú isteach inti, agus in aon bhliain amháin bhí sí
comh mín leis an bhFeorainn féin.

Bhí béas eile ins gach aon tigh sa Chom, leis, i dtaobh na
gainnimhe céanna. Nuair a scuabfaí úrlár na cistean, gainnimh
thirim a leathadh air, mar is úrlár cré a bhí ina bhformhór an uair

sin agus oireann an ghainnimh dá leithéid. Bhí an béas céanna san Oileán agus in aon tigh ó thuaidh amach go raibh an ghainnimh in aon chomhgar do. Ina haprún a thugadh bean an tí isteach í, agus í á leathadh díreach mar bheadh fear ag leathadh síl as iorlach. Níorbh aon tsalachar leo an ghainnimh riamh.

D'oibríodh Stail gach aon phioc comh cruaidh leis an asal féin, agus aon ní a dh'fhéadfadh sé féin a dhéanamh ní dh'iarrfadh sé ar an asal é a dhéanamh do. Pé meitheal beag a bhíodh aige nuair a bheadh sé ag cur an fhéir isteach—ní mór é, beirt nó triúr, mar ná bíodh an féar aige, puinn—is é féin a choimeádadh an féar leo ón ngort thiar ar a dhrom. Cocaí maithe móra píce a bhíodh aige; ní phasáladh sé choíche é toisc gan an chabhair a bheith aige. Ach do thugadh sé ceann acu so ón ngort leis, fé mar thabharfadh fear eile beart aitinn. Agus ní há tharrac ina dhiaidh a bheadh sé, leis, ach é thiar anairde air. Nuair a chífeá chughat mar seo é, ní raibh aon oidhre ar an amhailt ag déanamh ar an dtigh ach mar bheadh coca ag siúl agus dhá chois fé. Mar ní raibh aon bhlúire de Stail le feiscint agat ach óna ghlúine síos, agus gach aon trut-trat aige ar a dhícheall d'iarraidh na hiothlann a bhaint amach agus é ar bogshodar. Agus ní raibh aon dabht air; is ag spáráilt an asail a bhíodh sé mar seo.

Tigh beag ceann peilte a bhí aige féin agus age n-a Mhamach ar thaobh an bhóthair i gcorplár an Choma istigh. Laistíos de bhóthar a bhí sé, agus simné an tí nach mór buailte suas leis an mbóthar agus é díreach ar aon leibhéal leis. Ní raibh aon tsimné eile ar an mbaile is mó a thairgíodh trioblóid ná é. Más ea, ní hiad na préacháin ba bhun leis ná an ghaoth anoir 's aneas ach oiread; ach é a bheith comh gairid sin don mbóthar nach mór ná go bhféadfá do lámh a leagadh air gan faic ach seasamh ar an gclaí. Ní raibh againne ach aon léim cabhlach amháin a thabhairt ón gclaí agus bhíomair anairde ar an sleá bhinne ar nós an chait, rud ná déanfaimís, gan dabht nó go mbeadh déanaí na hoíche againn nuair a bhraithimís Stail amuigh ag bothántaíocht. Ansan paca a

bhualadh chughat agus é a ropadh síos dhon tsimné nó é a leathadh
ar a bharra anairde. Bualadh síos isteach dhon tigh nuair a bheadh
do chúram déanta agat, agus ná cífeá méar a chur id shúil ag an
ndeatach agus ag an ainnise. Gamhain ar adhastar le falla an tí
díreach ar aghaidh an dorais isteach agus fáinne dá bhualtaí ina
thímpeall. Bord idir é agus an cúinne eile dhen dtigh thuas mar a
n-ithidíst a gcuid bídh. Máire ina suí ar a rúmpa ar lic an tinteáin
agus a gabhal le gríosach aici d'iarraidh an teasa do choimeád inti
féin, an bhean bhocht. Gramaisc an bhaile, b'fhéidir seisear nó
seachtar acu, bailithe ina tímpeall, duine nó dhó sínte ar a sciain
ar an mbord ag féachaint isteach dhon tine. Lampa beag pairifín
stáin, agus píp amach as go raibh an fháileog inti, b'shin é an solas.
Nuair a dh'éireodh ar an ndeatach i gceart, an gamhain a scaoileadh
agus é a stiúradh síos go tóin an tí idir an dá leabaidh a bhí ag an
mbeirt ann agus an doras a dhúnadh air. Bualadh amach ansan
nuair a bheadh do chuid cros déanta agat, agus do phaca a thógaint
as an simné, mar nach fada go mbeadh an Stail chughat ós na
botháin. Ach b'fhiú dhuit fanacht sa tímpeall—ach dul i bhfolach
in áit éigin—mar nuair a bhraithfeadh sé an gamhain uaidh
d'éireodh sé amach mar dh'éireodh tarbh buile agus gach aon
bhúir ar fuaid an bhaile aige. Agus nár mhaí Dia ar éinne a bhí
ina chodladh é, mar sara bhféadfaí Paid a cheannsú bhí an baile
go léir ar barr ithreach aige. B'shin iad na crosa, Dia linn, agus
gan aon ní eile á thaidhreamh duinn. Tá súil agam go maithfidh
Paid agus a Mhamach duinn a ndeineamair orthu, pé áit dá bhfuil
siad inniu.

'Feoil Bó' ainm eile a bhí ar Phaid Stail, toisc na dúlach go léir
a bhí sa bhfeoil aige. Thar éinne eile ar an mbaile, níorbh aon
iascaire é, ach is dócha toisc é a bheith comh leathlámhach san, an
t-ainniseoir, ná raibh an t-am aige ach oiread. D'íosfadh sé iasc:
má tá, ní le cion air é, ach gan a mhalairt a bheith aige. Dob ait
an obair é leis, ach an earra go dtabharfadh an chuid eile acu mairt-
eoil uirthi, is feoil bó a thugadh Paid uirthi, bun na leasainme,

gan dabht, agus an focal a bheith comh suaithinseach. Ach do dhéanfadh aon tsórt feola cúram Phaid.

Bhí leasúncail domhsa, an Cárthach, agus is minic a bhíodh sé ag eachtraí ar aon oíche amháin a bhí sé istigh age Paid. Tar éis a lae oibre is minicí a dh'itheadh Stail a dhinnéar, i ndéanaí an tráthnóna nuair a bheadh an dá bhó sniugtha aige. An tráthnona so dh'áirithe, bhí leathcheann muice ag beiriú san oigheann age Máire ina chomhair, agus cé bhuailfeadh chúichi isteach ach an Cárthach, mac toirmisc ceart má tháinig a leithéid riamh. Ní raibh uaidh ach na crosa, agus ní chuirfinn ina iontaoibh ná gurb é a thug isteach é.

Scoilb raice a bhíodh ins gach aon tigh sa Chom an uair sin mar adhmad tine i dteannta an stuaicín, agus níl aon mhaidean a dh'éireofá ded leabaidh agus bualadh síos ar thráigh an Choma, go mórmhór i ndúluachair na bliana le gaoth aniar 's aneas, ná go mbuailfeadh roillse nó creachaill éigin leat ar chlannrach an bharra taoide, mara mbeadh an áit coillte age duine éigin rómhat. Is é a dheintí leo so ansan iad a bhreith abhaile agus scoilb a dhéanamh díobh le cur dhon tine, agus iad a stobháil ar an gcúllochta ar dhá thaobh an chlabhair ós cionn na tine.

Is é an toirmeasc a bhí á thaidhreamh don gCárthach, agus gan aon dabht air, mar ná raibh sé suite i gceart in aon chor go dtaing sé chuige gabháil des na scoilb seo, agus do thosnaigh ar bheith á dteannadh le tóin an oighinn. Bhí an fheoil ag fiuchaidh, ach ba chuma san. 'N'fheadar, a chroí,' arsa Máire Boy leis, 'an mbeadh sí in aon ghiorracht do bheith beirithe fós?'

'An naiste,' arsa mo dhuine, 'ná fuil agus ná féadfadh aon bhogadh a bheith déanta fós uirthi.'

'Ó, a chroí deoil,' arsa Máire, 'beidh mé aige, mar sin. An dóigh leat go mbeidh aon bhogadh déanta aici sara mbeidh sé chughainn?' I dteannta gach aon ainnise eile a bheith ar Mháire bhocht, ní raibh an radharc ar fónamh aici ach oiread, agus b'fhuiriste dallaphúicín a chur uirthi.

'Beidh, an naiste,' a dúirt an Cárthach, 'ach an teas a choimeád lena tóin.'

D'imigh scaitheamh eile, agus, má imigh, ní haon adhmad a spáráil Cárthach an diabhail bhuí ar an oigheann.

'N'fheadar an mbeadh aon bhogadh beag fós uirthi?' a dúirt Máire.

'Caith uait bogadh ar a leithéid seo fós. Na ceannaíocha muc atá ag imeacht anois, tá an diabhal féin le righneas orthu,' ars an Cárthach, á ceannsú, 'mar ní le salann a leasaíonn siad in aon chor inniu iad, de réir dealraimh, ach iad a chaitheamh i bhfarraige ar feadh leathbhliana, agus iad d'fhágaint ann go dtagann an bád tímpeall arís ag triall orthu. Conas a dh'fhéadfadh a leithéid sin a bheith briosc agat,' ars an t-alfraits, mar dob é a ainm é; agus dob é cló a bhí air é, an té a chífeadh sa chúinne é agus scoilb á chur lastuas den oigheann aige.

'Is agatsa is fearr atása san, a mhaoineach,' a dúirt Máire bhocht, 'mar is tú a bhíonn ag léamh na bpáipéar, ma'b ionann agus ainniseoirí mar sinne, a chonách ort é agus go bhfága Dia do shaol agus do shláinte agat. N'fheadar, 'á mbainfeá an corbh di agus féachaint uirthi, mar má thagann sé féin isteach agus gan í agam do tar éis a lae is é an sagart uachta a bheidh orm é.'

Do bhain, agus d'fhéach. Agus má dhein, is aige a bhí a fhios go maith conas mar bhí, an fheoil a bheith scartha ón gcnámh ar fad agus í ina baighreán gléigeal ar fuaid an oighinn.

'Ní fada uaithi anois, an naiste,' ars an Cárthach, nuair a bhí a fhios aige an díobháil a bheith déanta aige, agus bhuail an doras amach ar eagla gurb ean a bhéarfadh Stail istigh air, mar níorbh aon dóichín Stail dá gcuirfí chuige é. Isteach go tigh Dhomhnaill Criothain ar an dtaobh eile dhe bhóthar a chuaigh an Cárthach, mar bhí a fhios aige gurb ann a théadh Stail ag bothántaíocht, agus d'eachtraigh sé a scéal dóibh, d'fhonn is go mbeadh a fhios acu nuair a gheobhadh Stail chúchu isteach.

Oíche Shathairn ab ea í, agus b'fhada leo go raibh Stail ag teacht.

'Á bhearradh féin atá sé, is dócha, i gcomhair an lae amáirigh,' arsa Domhnall, 'nó cad atá ag cur na moille go léir air?'

'Tá an scéal go maith againn an naiste,' a dúirt an Cárthach, 'marab ean a dhein sé fuairnín dá Mhamach nuair ná fuair sé roimis san oigheann ach an phraiseach.'

'Má éirigh air,' arsa Domhnall, 'beidh do lá ceannaithe go maith agatsa. Nach beag eagla ort roimis agus a bheith ag coimeád na cúitse.' Ach níor chorraigh an Cárthach, ná aon chuimhneamh aige air.

D'imigh stáir eile, ach níorbh fhada gur chualadar an trut-trat chúchu aníos; Paid agus ramsach á bhaint as an ndúidín aige ar a shástacht, agus caipín nua air a bhí díreach tar éis teacht ó Mheirice chuige. Caipín fir poist ón áit thall ab ea é seo go raibh bas mór leathan air, agus déanamh chaipín an *gendarme* air ach é a bheith déanta d'éadach bog; dath dúghorm air, agus é foithiniúil go maith, a déarfá, ar an dtathag a bhí ann. Níor dhein aon ní riamh breallsún ceart de ach an caipín seo, mar, i dteannta gach aon ní eile, bhí sé mós mór do. Ní raibh aon oidhre air ach fé mar bheadh a phlaicide sáite isteach i mbosca aige agus é anuas go dtí n-a dhá chluais air.

Do bhuail sé chúchu isteach, agus má dhein, ní fada ina dhiaidh a bhí Seán Ó Mainnín agus é níos bolgshúilí ná mar bhí sé riamh. Bhí an cúram braite aige mar ní raghadh a oiread de. Agus, ar aon tslí, bhí an caipín suaithinseach úd ar Stail agus ní fhéadfadh san imeacht gan a thuairisc a chur agus tamall grinn agus áiféise a bheith air. Do chúb an Cárthach a chosa chuige ar an gcúits agus shuigh an bheirt laistíos de. Níor labhair éinne go ceann tamaill, mar nárbh fhios dóibh cé acu den dá chúram ab fhearr a tharrac anuas, cúram na muiceola leachta nó cúram an chaipín nua. Dob é Stail féin an chéad duine a labhair.

'B'annamh leis an gcuideachtain seo a bheith comh ciúin,' ar seisean, á mbrath, ar shlí éigin, mar is maith a bhí a fhios aige go raibh an caipín beagán as an slí agus gur dócha gurb é a bhí á gcoimeád ina n-éisteacht.

Ach dob é an scéal eile a theastaigh ón gCárthach. 'An naiste,' ar seisean, 'gur fuirist do dhaoine labhairt nuair a bhíonn a mbolg lán.'

'Nach chun suaimhnis a chuireann san daoine eile?' a dúirt Bolgshúil, mar nach é a bhí uaidh ach scéal an chaipín. Mac an diabhail, agus dob é a ainm é. Ach dob fhearr leis duine éigin eile á tharrac anuas ná é féin.

'An bhfuil an scadán glas san beirithe fós agat?' arsa Domhnall Criothain le bean an tí. Ag dul thar n-ais ar scéal an bhídh a bhí Domhnall arís, mar bhí a fhios aige go bhfanfadh an scéal eile, agus má fhanfadh ná fuarfadh. 'Ní maith an earra iad, ná éinne atá ag brath orthu. Is dócha go bhfuil ite agaibhse, a Phaid?' Nach deas mar tháinig sé timpeall air!

'Ambaiteach féin go bhfuil mhuis,' a dúirt Stail.

'Má tá, ní scadáin ghlasa a bhí agaibh, is dócha,' ars an Cárthach, agus é ag ainnliú an scéil faid a bhí an teas ann.

'Ní hea, ambaiteach, ach leathcheann muice-ach, agus é comh beirithe de bhlúire feol-ach agus a cuireadh riamh ar an mbord chugham. Le spíonóig na leitean a dh'itheas é-ach, me féin is mo Mhamach.'

'Idir chnámh is uile?' a dúirt Domhnall, ag séideadh fé faid a bhí sé aige.

'Bhain mo Mhamach na cnámhthairtí as-ach, agus níor bhlaiseas a leithéid riamh le cumhracht. Mo chroí dhon diabhal ná beiríonn bhur leath i gceart é. Ach níl aon teora lem Bamach.' Ba mhaith an scéal iad. Bhí an oíche curtha i bhfaighid orthu age seanabhean nuair ab éigean di bréag a dh'insint chun í féin a chosaint ar a mac.

D'fhan scéal an chaipín go lá arna mháireach ag dul chun Aifrinn. Ach ní bhfuarthas air san am san ach blas leamh, fuar-bheirithe. Ar aon tslí, ní haon am fonomhaide a leithéid, agus d'imigh an scéal ar bóiléagar.

Tá Paid féin ar shlua na marbh anois, trócaire air, é féin agus a Mhamach, agus is lom an áit an Com á gceal. Ach ní hé seo an t-aon athrú amháin atá tagtha ar an mbaile. Níl ach múchán anois mar a mbíodh an spórt go léir againn i dtigh Phaid agus a Mhamach, más spórt ba cheart dom a thabhairt ar an áilteoireacht agus ar an alfraitsíocht a bhíodh againn ann. Inniu tá an páipéar ✓ ag teacht ar an mbaile agus cúraimí an tsaoil mhóir ag déanamh tinnis dóibh. Tá an raidió acu, agus deorantacht na dtíortha iasachta agus an Bhéarla mar annlann lena gcuid bídh acu. Tá an comhluadar cois tine nach mór imithe, agus formhór na ndaoine óga bailithe leo; tá siad anocht, cuid mhaith acu, ag imirt cheaintíní ar a chéile i hallaí rinnce i mBirmingham nó sa Bhronx, agus nuair a thagann siad abhaile iad ag cainnt ar shoilse agus ar an saol drithleach réiltíneach atá acu ó dh'fhágadar an baile ina ndiaidh. Ní chloisfidh tú choíche iad ag cainnt ar an scailp uaignis a bheidh orthu amáireach agus iad ag fágaint an baile, ná ar an mbrat uabhair agus maoithneachais a thiteann orthu ins na tíortha úd thall gach aon uair a chloiseann siad ainm mhilis an Choma nó Dhún Chaoin ar bhéal a gcomharsan, agus ná fuil de leigheas acu air ach rabhait óil agus bhruighne agus achrainn. Tá an t-uaigneas céanna sa bhaile ina ndiaidh, agus caithfidh tú dul go tigh an óil ansúd comh maith má theastaíonn cuideachta agus comhluadar uait, mar tá an tinteán fuar agus tá sé folamh.

Bímís milleánach, más maith linn, ar thigh an óil, ach is cuid de shaol na Gaeltachta úd inniu é, agus mara mbeadh a leithéid a bheith acu, is maith scaipthe a bheadh a gcuid saibhris go léir, agus ní saibhreas saolta atá i gceist agam leis sin. Mar meallann an braon beag an seanamhrán agus an steip rinnce uathu; deineann, agus músclaíonn sé chun cainnte agus chun aighnis uaireanta iad. Agus faid is féidir le fear a dhorn a thomhas le fear eile ní fear marbh é. Tiocfaidh an veidhleadóir i measc na cuideachtan oícheanta, agus teannfaidh ceol leo, agus ní fada go mbeidh siad ag baint an úrláir dá chéile. Is ansan a chífidh tú sprid cheart na Gaeltachta, agus is maith ann í faid a mhairfidh sí.

VI

AN TÉ a gheobhadh go dtí Gaeltacht an Daingin inniu agus gan í a bheith feicthe le deich mbliana fichead aige, níl aon ní is mó a chuirfidh iontas agus leathadh súl air, bíodh geall, ná an t-athrú mór atá tar éis teacht ar thithe na ndaoine ann. Dob é an tigh ceann tuí ba mhó a bhí le feiscint aige an uair sin. Bhí an foththigh ann, gan dabht, go raibh an ceann slinne air, agus ina choinne sin arís bhí an bothán thall 's abhus, ar nós an chinn a bhí age Stail, ná raibh air ach an ceann peilte. Ach tá an ceann tuí imithe ar fad inniu, nach mór, agus ní hionadh san, mar an uair sin féin ní raibh éinne fágtha ann go raibh ceard na tuíodóireachta le haon tslacht aige. Chun na fírinne a rá, ní cuimhin liom go bhfeaca riamh aon tuíodóireacht ghreanta déanta sa dúthaigh, ach obair gan rí gan rath. Díreach mar a chuirfí díon luachra ar choca féir a dheintí é; é fáiscthe le súgáin a théadh trasna i ndiaidh a chéile thar dhroim an tí agus troigh nó dhó eatarthu, agus iad á choimeád ina n-áit le gearrachlocha maithe a bhíodh ar sileadh leo ina líne díreach ós cionn na búndlaí. Ní mó ná slachtmhar a bhíodh an bhúndlach féin acu; ní bhíodh sí comh deas bearrtha agus a chífeá in áiteanna eile í. Ní bhíodh aon oidhre uirthi ach cearc a bheadh ag dul sa chleithigh tar éis í a bheith amuigh fé chlagairnigh bháistí. Amuigh ar na Blascaodaí bhí an tigh ceann tuí, nó ceann luachra, caite uathu abhfad roimis sin acu, agus an ceann peilte tagtha ina ionad, ach amháin trí tithe ceann slinne a bhí tógtha ann thuas i mbarra an bhaile age Bord na gCeantar Cúng, tithe nár tháinig riamh le dúchas na háite i gceart, ar shlí éigin.

Tugann so me go dtí tithe an lae inniu ar an míntír. Bloic mhóra tútacha de thithe ceann slinne atá ar fuaid an cheantair seo inniu. Dhá úrlár ins gach ceann acu, nach mór, airde agus cabhail agus tathag iontu, gan gá lena leath. D'fhás na tithe seo suas fé scéimeanna na Gaeltachta ó bhliain bliain, agus is iad na scéimeanna céanna is ciontach leis an dtoirt go léir mar ní bheidíst i dteideal na grainte gan an chabhail agus an toirt a bheith iontu agus an áirithe sin spáis comh maith. Ní haon áiféis a rá ná hoireann an pátrún tí seo don gcomharsanacht in aon chor, agus is istigh i bparóiste Dhún Chaoin féin is measa a dh'fhéachann siad, a déarfainn. Tá siad comh mór san, agus oiread scaipeadh déanta ar na daoine acu go mbraithfeá an paróiste cúngaithe ar fad acu. Oireann crann nó dhó, nó fás de shórt éigin tímpeall ar na bathalaigh mhóra so, ní hamháin chun fascaine a dhéanamh ón síon dóibh ach chun a n-íochtar a chur i bhfolach ón súil ionas ná beidís comh scéirdiúil agus comh nochtaithe agus atá siad.

Is é an trua go deo nár deineadh aithris ar na tithe ceann slinne a bhí ann rómpu. Tithe fada ísle ab ea iad san, agus iad ag teacht go deas le pátrún na dtithe cinn tuí. D'fhéadfadh an dá thigh sin a bheith i mbéal an dorais age n-a chéile, agus gan aon spleáchas a bheith age ceann acu leis an gceann eile. B'shin é an pátrún nádúrtha a dh'fhás suas i measc na ndaoine féin le himeacht aimsire, agus dob é a gceart cloí leis. Fé mar atá an scéal inniu, áfach, do thabharfá an leabhar gur púncánach éigin a tháinig abhaile ó Mheirice ná raibh aon teora lena chuid ollmhaithis saolta; gur theastaigh uaidh é sin a dh'fhógairt do chlann na gcomharsan a bhí fanta sa lathaigh ina dhiaidh, agus, dálta an té go raibh an t-ampla air, nach meonaíocht a dhein sé ach suthaíocht.

Bhí aon bhua amháin ages na seanathithe ná fuil acu so—iad a bheith cluthair, teolaí, rud a theastaigh go géar in áit atá comh scéirdiúil leis. B'é nós an tseanathí ceann dá bhinnteacha a bheith i gcoinne an aird; dob í seo an bhinn adaithe, is é sin, an bhinn go mbeadh an tine agus an simné uirthi, agus bheadh aghaidh an tí féin ó dheas. Toisc go gcaithfeadh an tigh a bheith ar leibhéal agus é i gcoinne an chnoic mar seo, bheadh an ceann thuas de sáite isteach fé phort a bheadh fágtha tar éis na scartála a bheadh déanta ar an láthair féin. Dá mbeadh an cnoc ard a dhóthain tímpeall air, is minic go mbeadh an tigh go hairde cabhlach isteach fén bport so, nó go dtí an simné féin uaireanta, fé mar bhí tigh Stail fén mbóthar. An camfheothan gaoithe is measa a tháinig riamh ón gcnoc anuas ansan, ní bheadh aon bheann aige air, agus é neadaithe comh seascair agus gur gheall le cuid den gcnoc féin é.

Bhí mórán seanaimsireachta agus piseog ag roinnt le tógaint na dtithe seo, cuid acu go raibh ciall agus bunús leo, agus cuid eile acu, má bhí, go raibh dearúd déanta air le himeacht aimsire. Chonacsa féin tigh á thógaint ar chosán. Bhí ainm an chosáin chéanna anairde go raibh aeraíocht éigin ag baint leis, gur cosán é a bhíodh á úsáid ag an slua sí ina mbóithreoireacht oíche ó pharóiste go paróiste, agus gur mhór an díth céille dh'éinne a bhí ag canntáil an bhealaigh orthu san, agus ná rithfeadh leis. B'fhíor dóibh. Níorbh fhada de bhlianta ina dhiaidh san go bhfeaca an tigh folamh. A ndúirt siúd, ná dein acht agus ná bris acht.

Dob é an dálta céanna ag aon tsórt cosáin é; níor theastaigh uathu an tigh a bheith in aon ghaobhar de. Níor cheart d'éinne binn adaithe a thí a bheith buailte suas le bóthar ná le cosán. Rud eile a bhí á leanúint seo, leis, nár mhaith le héinne a gharraí a bheith trasna an bhóthair ná an chosáin uaidh. Chun é seo a sheachaint, is amhlaidh a chaithfí an tigh a thógaint ar an dtaobh eile dhe bhóthar mar an raibh an garraí.

Éinne go dteastódh uaidh seomra eile a chur lena thigh, is ón mbinn uachtarach suas a chaithfeadh sé an seomra san a thógaint. Ní chuirfí seomra eile go deo le tigh óna bhun síos; d'fhógair an t-acht orthu, mar a deiridís féin, 'gan scaoileadh le tigh le fánaidh.' Acht é seo ná brisfeadh éinne, ach dá mbéarfadh orthu agus gan aon dul as a bheith acu, is é a dhéanfaidíst an bhinn íochtarach a leagadh agus í dh'aistriú—dá mbeadh 's ná haistreoidíst ach leath-throigh féin í—agus ar í a bheith tógtha ón mbonn nua acu, dul ansan agus an seomra a chur léi síos. B'shin é mar a shásaítí an t-acht, agus níorbh aon tsárú é le ceart. Níorbh aon scaoileadh le fánaidh de réir an achta ansan é.

Nuair a bheadh an scartáil agus an leibhéaladh déanta ar láthair an tí acu, dob iad na clocha agus an mairtéal an dá chéad rud eile. Bhí dhá shórt cloiche ann ná bacfaidís choíche leo—clocha fothraí agus clocha trá—níor mhaith leo iad san a chur in aon tigh. Rud eile, dá mbeadh aon chúis ghearáin ar an seanathigh acu, ní úsáidfidís na clocha as san ach oiread. Ach dá mbeadh aon rathúnas ar an seanathigh agus gur thigh é gur dh'éirigh go maith leo faid a bhíodar lonnaithe ann, is amhlaidh a bheadh áthas orthu clocha an tí sin a bhreith leo le cur dhon tigh nua. Is fuirist a thuiscint canathaobh ná bacfaidís le clocha fothraí; comh fada le fothracha agus le múcháin agus a leithéidí sin de, ní iompóidís fód ná ní chorróidís cloch iontu san le hómós don tseanaimsireacht a lean iad, cé nach mar sin don dream a leag Gallán an tSagairt ar bharra an Dúna. Is dócha gur le heagla roimis an dtaisriúchán ná tógfaidís le clocha trá, cé nárbh aon nath acu gainnimh thrá a dh'úsáid ins na tithe déanacha so atá á thógaint acu. Dob é an dálta céanna ag an láthair é, dá bhfaighidíst aon rian taisriúcháin in aon chor inti do thabharfaidís fuath dhi, agus, le hómós don mharbh gan dabht, dá dtiocfaidís trasna ar láthair chnámh ins an réabadh dhóibh, do thréigfidíst í sin comh maith.

Gaíon buí glan a bhíodh uathu i gcónaí i gcomhair an mhairtéil. In áiteanna do chaithfeá dul síos go maith ag triall ar an ngaíon so, ach in áiteanna ná fuil róbhorb, ar nós na háite thiar, ní fada a bheadh sé ag bualadh leat, geallaim dhuit. B'é locht ba mhó a bhí ar an dtalamh ann an gaíon a bheith comh gairid sin don uachtar, agus gan oiread cré agat uaireanta, go mórmhór ag druideam le barra an ghoirt, agus a thaoscfadh na prátaí dhuit. Dar an leabhar so, pé ní eile a bhí in easnamh orthu, nach gaíon é ach go háirithe.

Chun an ghaín a fhliuchadh, níorbh é an fíoruisce dob fhearr leo riamh, ach uisce lonnaithe, uisce a bheadh ina stad i loig nó curtha ar leataoibh i mbairillí d'aonghnó ghlan i gcomhair an chúraim. B'shin é bas, a deiridíst i gcónaí. Bhí a gciall féin acu leis seo, dar ndóigh. An t-uisce atá ina stad ar feadh abhfad mar seo, bíonn táthú níos fearr ann mar bailíonn sé ribí agus bíonn sé snáithíneach ann féin.

Bhí nós acu gan aon chloch a chur síos don chéad uair maidean Luain, pé brí a bhí acu leis, ach ní foláir nó is rud é a théann abhfad siar. 'Na máthracha,' b'shin é ainm a bhí acu ar na chéad chlocha so, clocha íochtaracha an tí. Ba dheas an ainm í, agus is é an trua na focail bhreátha so a bheith ag imeacht. Is minic a chloisim 'clocha bunaidh' nó a leithéid á thabhairt inniu orthu, agus ní hannamh a chím scríte é, ach nach fada siar ón seanarud ceart é, 'máthracha an tí.' Tá an focal le clos fós á úsáid ar shlite eile leis, ach an bhrí chéanna a bheith leis, gan dabht, agus é a theacht ón bpréimh chéanna. 'Tógadh óna mháthracha é,' cuirim i gcás, a déarfaí le coca nó le stáca go dtiocfadh an ghaoth fé thíos agus go séidfeadh sí anairde san aer é. Le stáca nó le coca a bheadh tógtha ar láthair chloch is mó a déarfaí é, agus sin é an gaol eatarthu láithreach. Agus ós ag tagairt don gcainnt é, bhí máthracha eile ins gach tigh, leis; thugtaí é ar an adhmad a bhíodh ag rith trasna ar bharra an fhalla agus ar a mbíodh na cúplaí greamaithe anuas. Tá an gaol anso leis, an té a smaoineodh air, mar is é seo adhmad bunaidh an dín.

'Airde cabhlach' a déarfaí a bheadh tigh nuair a bheadh na fallaí críochnaithe mórdtímpeall ar aon leibhéal, ach gan na binnteacha a bheith tosnaithe fós air. As san anairde is ea a bheifí ag caolú na mbinnteacha go dtí go gcríochnófaí le haon chloich amháin, leac cheathairchúinneach—is é sin, mara mbeadh simné le cur ar an mbinn—agus is é ainm a thugtaí uirthi seo cloch an phréacháin. Stáitse ab ea í, gan dabht, d'aon éan a gheobhadh an treo comh maith leis an bpréachán, ach b'shin é bun a bhí leis an ainm, ní foláir. Is minic a rugamair ar fhaoileann le duán anairde ar cheann des na leacacha so, mar an-áit staidéir di ab ea é. Ní raibh agat ach slaimice nó putóg éisc a chur ar do dhuán agus é a dh'fhágaint anairde ar chloich an phréacháin, agus geallaim dhuit nach fada go mbeadh t'fhaoileann chughat. Is mó batráil a fuaireas ó sheana-Sheán Ó Maoileoin, m'athair críonna, as an rud céanna, ach níor leath leo dá ba caobach, nó faoileann droma duibhe, a bheadh de bharr do thurais agat, mar bhí an ghráin dhearg acu orthu so. Nuair a bheadh na caoire ag breith isteach sa Mhárta agus san Abrán, dá dhéine agus dá mhinicí a bheifeá ina ndiaidh, níl aon tseachtain ná go bhfaighfeá uan marbh age ceann des na caobaigh seo, aici féin nó ag an nDomhnall Dubh, mar a thugaimíst ar an bhfiach dubh. Nuair a luífeadh an chaora bhocht léithi féin is amhlaidh a bheadh an dá dhiabhal so ag faire uirthi go bhfeicidíst an t-uan á shaolú. Aon ní in aon chor ansan ach teacht agus an dá shúil a phiocadh amach as a cheann. B'shin deireadh leis an uainín bocht, agus bhí sé acu eatarthu, mar ná féadfadh sé a mháthair a leanúint. Uaireanta, ní bheadh rómhat ina ndiaidh ach na cnámha, agus a ndrochscéal féin le léamh astu.

Ach chun teacht thar n-ais ar mo bhóthar; bhí nós eile acu, agus nós atá imithe ar fad anois, nach mór. Nuair a bhearrfaí do chuid gruaige, teacht agus í a chruinniú in aon cheirtlín amháin, agus í a chur i bhfolach i bpoll an fhalla in áit éigin sa tigh. Bheadh gruaig mhuintir an tí go léir sa pholl so leis na sinnsearaibh, ach amháin pé méid a bheadh bailithe chun siúil ag an ndreoilín nó ag luich nó ag an ngealbhan binne nuair a bheidíst ag bailiú nide dhóibh féin. Bhí muintir an tí ana-cháiréiseach i dtaobh na gruaige seo, agus dob fhada go ligfí dhuit í chaitheamh dhon tine nó aon íde eile a thabhairt uirthi. Nuair a bheadh an tigh nua tógtha agus an seanáitreabh á thréigeant acu, aistreofaí an cheirtlín gruaige seo i dteannta pé airnéisí eile a bheadh á thógaint chun siúil acu go dtí an dtigh nua, agus do chaithfí poll eile a dh'fháil ansúd di. Lúb cheangail ab ea í, gan dabht, idir na glúnta go léir a bhí imithe agus na glúnta go léir a bhí fós i mbroinn na haimsire, agus b'shin é an chúis, is dócha, go rabhthas comh cúramach san tímpeall uirthi. Rud eile ba mhaith leo a bhreith isteach dhon tigh nua i gcónaí ab ea seanachathaoir nó seanastól; pé rud eile a dh'fhágfaidíst ina ndiaidh sa tseanabhothán ní ceann acu so é, pé lúb istigh a bhí acu iontu, n'fheadar. Suíochán don té a bhí imithe, ní foláir.

Beannú an tí an chéad rud eile a dhéanfaí sara gcuirfeadh éinne a chos thar tairsigh ann. Mara mbeadh sagart acu chun é seo a dhéanamh, is í bean an tí féin a bhí deas air, ach go ndéanfadh sí é ar shlí a bhí tagtha anuas chúichi ós na cianta cairbreacha, b'fhéidir ó ré na págántachta féin. An tigh a bheannú le maothachán stálaithe, b'shin é mar a dheinidíst é, agus é a chrothadh tímpeall ar fhallaí an tí agus ar an úrlár.

Ach tá na seanabhéasa so go léir ag imeacht le tigh an lae inniu. Níl gá le gaíon buí, ná le huisce lonnaithe chun é a fhliuchadh, i gcomhair an mhairtéil anois, toisc gurb í an earra ón siopa atá á úsáid acu. Tá áit na gcloch tógtha ages na bloic mhóra coincréide, agus is cuma cad a dhéanfaidh clocha fothraí ná trá—is beag é a mbeann orthu san. Slinn ar fad is ea an cúram inniu, agus an dreoilín bocht gur ghairid Dia leis aige an bhúndlach sa tigh ceann tuí i gcomhair a nide, caithfidh sé teitheadh anois ó chomhluadar daoine agus scailp éigin a sholáthar do féin in uaigneas an ghleanna agus an chnoic. Tá an teitheadh curtha ar an ngealbhan féin ón mbinn mar a mbíodh sé riamh; agus ní fhéadfaimíd gealbhan binne a thabhairt níos mó air. Ba dheas muinteartha an rud é comhluadar na n-éan so tráthnóintí buíthe samhraidh nuair ná beadh aon ghlór eile le clos agat ach méileach na n-uan ón gcnoc agus sioscarnach na mara ón dtráigh. Tá na glórtha beaga so ciúnaithe, agus uaigneas agus deorantacht éigin tagtha ina ndiaidh ar chroí an duine. Tá an seanashaol ag sleamhnú uathu agus saol nua ar fad tar éis gealadh orthu. Agus is é donas an scéil seo go dtáinig sé ró-obann orthu; ní dóigh liom go dtuigeann siad fós é.

VII

TIGH CEANN SLINNE den seanaphátrún a bhí againn féin sa Dún,
gan aon staighre ann, seomra síos agus seomra suas ón gcistin.
Lochta ar an gcistin go dtí n-a leath suas, agus dréimire sáite
anairde air; an chéad runga nó dhó dhen ndréimire le feiscint ar
stuaic an lochtaidh i gcónaí agus gan le déanamh agat ach do lámh
a chur anairde agus é a tharrac chughat anuas nuair a dh'oirfeadh
duit dul anairde. Spás idir é sin ansan agus an cúl-lochta a bhí ar
dhá thaobh an chlabhair, agus radharc anso agat ar na cúplaí agus
ar na fraitheacha lastnairde mar a mbíodh na damháin alla go léir
ag teitheadh ó sholas an lae agus ó ghleithreán an tí.

Úrlár cré agus leacacha réidhe tríthi anso agus ansúd, go mór-
mhór tímpeall na tine, b'shin í an chistin. Cúib chearc taobh an
dorais, agus an bord le falla idir í agus an cúinne thuas. Drosar
agus curpad thíos mar shíneáil idir sinn agus tóin an tí. Drosar
beag agus é déanta le spólanna agus le cláracha raice ar crochadh
ar an bhfalla ar aghaidh an dorais isteach, agus pé gréithre suaithin-
seacha a bhí sa tigh anairde air. Trí cinn de chláracha beaga tanaí,
dó nó trí dhe throithe ar faid, agus naoi n-órla nó mar sin ar
leithead, b'shin iad na seilpeanna ar an ndrosar beag. A gcúinní
pollta agus dorú rite trís na poill agus trís na spólanna chun an
deighilt a dhéanamh idir na cláracha; na cheithre doruithe ag teacht
le chéile go dtí pointe lastnairde ar fad, agus spólanna orthu comh
fada agus a théidíst. Péint fén bhfeiste go léir ansan, agus bhí rud
neamhchoitianta ar fad agat chun na séiníos a choimeád duit—
china cabinet na Gaeltachta. Ar gach taobh de so, deilbh préacháin
gearrtha amach le páipéar, agus é ina sheasamh ar ghéag crainn,
agus an phéint chéanna fé, dorcha uaithne i gcónaí, nach mór. Aon
uair a chuirfí péint fén dtigh, slaimice dhi a chur fés na rudaí seo
go léir trí chéile, agus bhí an tigh maith go leor don sagart agat.

'Coid' a thugtaí mar leasainm ar m'athair críonna, Coid an Dúna. Dob é an duine fánach i bparóiste Dhún Chaoin a bhí gan leasainm éigin, gan ciall ná brí lena leath, leithéidí Bhailt, Yep, Deibhin, Pléit, an Pápa, Tiul, Babú agus mórán nach iad. Níorbh aon aithis na hainmneacha so, agus ní thabharfá aon ainm eile ar an té gur leis í. N'fheadarsa an mbíodh a fhios age n-a leath cén ainm a baisteadh in aon chor orthu. Bhí éinne amháin sa pharóiste, agus 'Braidhm' a thugtaí air cé nár dheas an ainm í. Ach níor thug éinne riamh air suas lena phus ach í, fiú amháin an leanbh a bheadh ag dul ar scoil. Mícheál Ó Gaoithín ab ainm do le ceart, ach ní déarfadh éinne 'Cogar, a Mhíchíl' leis ach le heaspa dánaíochta. Tá aithne agamsa ar fhear i mBaile Átha Cliath, agus an lá a thabharfaidh sé 'Mr.' ort, bí ag breith chughat féin. Bhí múinteoir orm féin tamall i gColáiste Bhréanainn Chill Airne—tá sé anois ina shagart paróiste in Oileán Ciarraí, an Canónach Dáithí Ó Conchubhair—agus an lá a thiocfadh sé isteach dhon rang ag cuimilt a bhaise dhíot agus ag briseadh a chroí ag gáirí, is maith a bhí a fhios agat cad a bhí i ndán duit an lá san. Is dócha gurbh é an dálta céanna age Mícheál Ó Gaoithín agus age n-a leithéid eile é—an lá a dh'imeofá ón leasainm bhí diúltaithe don muintearas agus don mbuannaíocht agat, agus claí teorann tógtha agat eadraibh. B'fhearr leo an ainm a bhí age cách orthu.

Ach sin scéal thareis, agus is í leasainm Sheáin Uí Mhaoileoin an Dúna a thaing air sinn. Bhí Coid—trócaire air, agus orthu go léir atá imithe uainn, ar eagla gurb í an ghuí ghann a chasfaí linn —bhí sé ciotarúnta go maith nuair a theastaigh uaidh. Níorbh aon drochdhuine é, áfach, agus ba mheasa ar a sclaimh ná ar a ghreim é. Ach b'shin í an sclaimh ná dearúdfá, bíodh a fhios agat. Níl aon ní is mó a mhaireann im chuimhne inniu ná a ghlam. Nuair a bhínnse thiar sa Chom i dtigh des na comharsain, ceathrú mhíle ón dtigh, níor ghá dho aon teachtaire a chur ag triall orm nuair a bhínn ag teastáil uaidh. Ní dheineadh sé aon ní in aon chor ach seasamh lasmuigh ar lic an dorais agus aon ghlao amháin a ligeant orm in ard a chinn agus a ghutha agus do chrithinn im chraiceann istigh ar sheitil Sheáin Criothain, mar a dtugainn mo lá 's mo shaol. Agus má chaithfeadh sé an tarna glao a ligeant orm, is maith ceannaithe a bheadh mo lá agam.

Ach ní há mhilleánú atáim, mar is agam a bhí sé tuillte go minic agus a dhá oiread dá ndéarfainn é, mar nár cheap Dia dhom mo shuaimhneas a ghlacadh, ach gach aon chrosa ba mheasa ná a chéile á thaidhreamh i gcónaí dhom. Is maith is cuimhin liom aon lá amháin gur chuas leis an dtae chuige suas dhon Tuar, me féin agus mo dhcirfiúr Cáit. Bhí trínseáil déanta ar leath an ghoirt acu, é féin agus m'athair. Duine acu ag baint na gcaolfhód agus á n-iompú isteach ar na hiomairí, agus an fear eile ag rómhar na gclaiseacha. Bhí cainnt agus caibideal ar siúl faid a bhíodar ag ithe, mar bhí Seán Criothain féin acu an lá céanna. Pé speallraoidí a tháinig orm féin, nó pé diablaíocht a bhí istigh im bolg—ní rabhas ach hocht mbliana agus Cáit a cúig nó mar sin—nuair a dh'iompaíodar tharstu cad a bheadh, an dóigh leat, ach an chré dhearg á chur siar ar an mbean bheag agam le ceann des na spíonóga, agus ise á hithe léi ar dalladh.

'Dar do chorp dhon diabhal,' ar seisean ag éirí ar a chosa deiridh tharam suas, agus b'sheo leis im dhiaidh. B'sheo liomsa roimis amach fé mar bheadh giorria a chuirfeá as thor. Bhí sé ag teacht ionam, ambaist, ach bhíos-sa ag rith lem anam. Thugas cor do. Bhí an fhánaidh agam ansan air, agus do bhaineas as na cosa é. Nuair a thána comh fada leis an gclaí, áfach, ní haon chuimhneamh a dheineas ach aon léim amháin a thabhairt as mo chorp agus é a ghlanadh liom síos idir sceacha agus eile. Bhí an fear thuas oiriúnach le ceangal, ach sara bhfeaca sé mise arís bhí sé tagtha chuige féin go maith, geallaim dhuit.

B'í mo mháthair a shaoradh me i gcónaí ins gach aon chruachás dá mbínn mar seo. Nuair a dheininn aon ní as an slí agus ná beadh díolta agam as, ba bhéas liom éalú liom ar m'abhar féin. Agus bhí an áit agam go sonaoideach, an Dún Mór mar ritheann, ríocht na n-éan agus na gcaeireach. Siar amach a théinn ar Chuas an Reithe, agus gach aon phocléim agam ó rubhán go rubhán. Bhí a fhios agam faid a bhí an áit seo agam ná raibh aon bhaol orm; gan aon ní im thímpeall ach an fiantas agus an t-uaigneas, agus an tsaoirse ón mbúrdáil. Nead ag an bhfiach dubh sa bhfaill dhiamhair fúm thíos, agus é ina sheasamh ar stocán ós a cionn. Fiaigh mhara ar an gcloich thíos ar imeall an uisce, á ngrianadh agus á dtiormú féin, a sciatháin ar leathadh age cuid acu. Bád ó Dhún Chaoin lasmuigh dhíom ag tarrac photaí ar a suaimhneas, fear ina tosach ag ainnliú, fear ag tarrac agus an fear láir ag ól a phípe. Bád eile ar thaobh Liúrach ag iascach dheargán, agus leathchéad feá uisce fúithi thíos. Amuigh arís idir me agus grian, foracha aonair agus gach aon fhead ar a gearrcach aici, fead chaoin, uaigneach a raghadh siar agus aniar tríd chroí. Níl aon ghlór eile ar an bhfarraige is trua-mhéilí ná fead forachan go mbíonn a gearrcach caillte aici, agus is minic a thabharfadh sí an tráthnóna go léir á chuardach mar seo. Caora agus a huan uam soir; saothar uirthi féin agus a teanga amuigh leis an mbrothall aici; is gearr go gcaithfear í a bhearradh anois, agus tabharfaidh san faoiseamh di, an rud bocht. Caora eile i ndraip uam síos ar mhéirscre cloiche, agus gan aon teacht as aici, maran cúng a bhí an saol uirthi. Nach milis an ribe féir a bhíonn ins na draipeanna céanna a thugann ann iad. Ar ár nós féin, is dócha, an rud a bhíonn coiscthe orainn. Féach cad a chaithfí a dhéanamh anois? Fear a chur i dtéid agus é a ligeant síos ó bharra; triúr nó ceathrar agus greim acu ar an dtéid agus a gcosa i bhfeac acu, obair dhuaibhsiúil, dhainnséarach. Timpin Sheáin Uí Shé an Choma a théadh dhon téid mar seo i gcónaí dhuinn. Ba dhiail an ceann a bhí air, agus is mó caora a shaor sé ar an slí seo.

Déanaí an tráthnóna a chuireadh abhaile as an áit seo me, agus ní haon ní eile, mar bhí mo chroí istigh san áit. Ach ar mo shlí abhaile dhom níorbh é mo dhearúd gan turas a thabhairt ar a raibh de neadacha éan agam ar thaobh an Dúna aniar. Bhí neadacha na bhfaoileann agam ina scórtha, agus ba bheag é mo thor orthu mara dteastódh a gcuid ubh uam le n-ithe, mar d'ithimíst iad, go milis, ambaic. Raghainn, nó b'fhéidir uaireanta ag triall ar ghrogaire (is é sin, éan faoilinne) le breith abhaile mar pheata dhom féin. Agus ba dheas múinte na peataí a dheineadh na grogairí céanna, ach go gcaithfeá slaimicí éisc a bheith agat dóibh i gcónaí. Nuair a dh'aibídís seo, do chaithfeá a sciatháin a bhearradh nó bhíodar imithe uait. Is dócha gur mhór an éagóir riamh iad a choimeád teanntaithe i gcúib nó fé bhéal cléibhe, créatúirí gurbh é dúchas fiain na faille fuaire a bhí sa bhfuil acu. Is minic a thagadh trua agam do cheann acu nuair a bheadh sé aibidh agus go scaoilinn leis. Dheineadh sé maitheas dom é a dh'fheiscint ag éirí agus a sciatháin leata ar an ngaoith aige mar bheadh sprid ghléigeal go raibh a saoirse fachta dhon gcéad uair aici.

Ansan bhí nead na riabhóige san aiteann agam agus nead an chaislín-fé-chloich. Agus thíos sa bhfaill i gCuas na nUan, nead an fhiaigh mhara agus fallaí a thí go léir mórdtímpeall, agus faid a urchair uaidh síos, aolgheal lena chuid buinní aige; nó cá bhfaigheann sé an 't-aol' go léir? D'éan comh coimhtheach leis an bhfiach mara, is maith gairid a raghfá le sciolla cloiche dho sara mbogfadh sé dá stáitse. Ní déarfainn ná go bhfuil allaidhre nó iomard éigin air 's a rá ná cloisfeadh an mhéaróg a raghadh i ngiorracht slaite dho ar nós aon éin eile. Is fada ó mhianach na faoilinne é, ná beadh do lámh ardaithe i gceart in aon chor agat nuair a bheadh sí éirithe agus curtha dhi, sa tslí 's go ndeineadh sé ana-sprioc dár leithéidíne nuair theastaíodh tamall neamhaistir uainn.

Ach thar a raibh de neadacha ar an gcósta, b'í mo nead féin an ceann a bhí ag an seabhac gorm ar ghualainn na Leacacha Réidhe thiar arís. Ní raibh a fhios agam í a bheith ann in aon chor go dtáinig an Cadhairtí tímpeall. Níl a fhios agam anois cérbh é an Cadhairtí, ach leasainm ab ea é a bhí ar an bhfear gan dabht. Stróinséir san áit ab ea é, agus bhí léamh éigin á dhéanamh aige ar shaol na n-éan agus na n-ainmhithe fiane sa cheantar. An-fhear faillteacha ab ea é, agus do chuaigh sé síos ar na Leacacha Réidhe

BAINFEAR CASADH AISTI FÓS ANOCHT LE CÚNAMH DÉ !

Tigh den seanadhéantús ceart]

le téid. Ach de réir dealraimh, bhí an t-ubh aonair a fuair sé roimis i nid an tseabhaic ghoirm rófhada ar gor chun aon mhaith a bheith dho ann, agus d'fhág sé ina dhiaidh é. Ach do bhíos-sa ag fairís ar an lá go mbeadh an gearrcach ann agus go mbeadh sé aibidh a dhóthain chun dul ag triall air.

Díreach ar nós an fhalla atá an fhaill seo go dtugtar na Leacacha Réidhe uirthi, mar is intuisceana ón ainm féin, agus ba mhaith an fear faille a raghadh leath slí féin síos inti agus gan ach greim iongan aige le fáil in áiteanna, agus a sheasamh go léir ar na rubháin formhór na slí síos. Fear a théadh inti agus triúr, ceathrar, ná raghadh, agus fear eile ná ligfeadh eagla dho seasamh ar a barra féin agus an leaca dhiamhair atá ag déanamh síos air. Ach ní fada síos a bhí an nead, agus bhí a fhios agamsa go maith nár ghá dhom aon téad. Do tháinig an tráthnóna a bhí uam; ceo brothaill ann agus é breá ciúin. Mo dheartháir Seán a bhí im theannta. Bhí na caoire loctha againn agus sinn ag gabháilt aniar. Toisc an cheoigh a bheith ann, bhí a fhios againn ná feicfeadh éinne ós na tithe sinn. Do thugas aon tseáp amháin síos agus mo dhuinc ag faire dhom lastnairde. Rugas ar scrogall ar m'éan agus bhuaileas chugham fém chasóig é, agus anairde liom. Ní raibh a thuilleadh air. B'sheo chun siúil le beirt againn agus an t-éan suaithinseach againn, go dtánamair anuas ar an bhFeorainn. Ansan a chuimhníomair orainn féin ná féadfaimíst an gearrcach a thabhairt abhaile, nó go raibh deireadh linn. Aon ní in aon chor ansan ach é a sháthadh isteach i bpoll an chlaí, leac a chur lasmuigh dhe, agus a raibh de sheilmidí i ndíg an chlaí a chaitheamh chuige le n-ithe go bhfeicfimíst arís maidean lá arna mháireach é.

Ach má bhíonn cluasa ar na claitheacha bíonn súile ar an machaire, agus b'shin ionú againne é. Pé áit a raibh Maidhc Sheáin Uí Shé an Choma—agus is maith an áit a raibh sé, a ndúirt siúd—nár chonaic sé ag cur an éin i bpoll an chlaí sinn, agus b'shin í an phraiseach ar fuaid na mias i gceart againn. Dob shidé an chéad uair riamh nár fhéad mo mháthair mé a shaoradh, ach bhí mo

E

bhúrdáil tuillte go róbhinn agam, agus ba dheacair di é gan achrann a tharrac. Agus ar aon tslí, is í an éagóir in ionad an chirt a bheadh á dhéanamh aici sa chás áirithe seo, mar do theastaigh ceacht a mhúineadh dhuinn. N'fhéad éinne dhe lán na beirte againn suí le puinn suaimhnis ar feadh seachtaine ina dhiaidh san.

Níorbh aon ní linn é sin, áfach, dá mbeadh ár n-éan againn tar éis ár nduaidh. Ach ní raibh. Mar nuair a chuamair go dtí an áit ar cheart do a bheith maidean lá arna mháireach, ní raibh rómhainn sa pholl ach a chreatlach. Bhí a chnámha comh glan agus dá mbeidís fé ghaoith agus fé ghrian le mí fada díreach. Eas nó franncach diail éigin, is dócha, a tháinig ar an éan bocht agus a thacht é. Bhí an ghráin dhearg agam ó shoin ar a leithéidí mar níor mhaitheas a bhfeille-bheart im chroí riamh dóibh. Do bhailíomair na cleití beaga le chéile isteach dhon pholl i dteannta na gcnámh, agus do chuireamair an leac thar n-ais orthu. Ansan, le cloich scáil, thairgíomair cros ar an lic lasmuigh, agus d'fhágamair taisí deireanacha ár n-éin ina uaigh i bpoll an chlaí, agus d'imíomair orainn abhaile go duairceach tromchroíoch.

Ba cheannaithe an turas age lán na beirte againn é, agus gan dhá bharra againn ach búndún tinn. Ní dúrtsa le héinne riamh go dtí an lá atá inniu ann—mar ná ligfeadh eagla dhom é—gur maith mar do scaras leis i mbéal na nide ag triall ar an éan céanna. Díreach agus me ag breith ar scrogall ar mo ghearrcach, pé áit a raibh a mháthair go dtí san agus gan aon radharc agam uirthi, nár tháinig sí cruinn díreach anuas orm d'aon ruaill amháin tríd an gceo, agus nár thug sí fúm, go doicheallach agus go dána. Ní haon nath ag an seabhac gorm tabhairt fút ón aer mar seo, go mórmhór agus í ag cosaint a gearrcaigh. Ar na ngualainn ghéar go rabhas, níor ghá dhi ach teangáil liom agus bhíos le faill aici. Ach níor dhein. Ghaibh sí tharam soir mar bheadh sí gaoithe, agus sara raibh sí iompaithe ar a sáil bhíos ar barra roimpi. Is dócha gurb é Dia na nGrást a shaor me an lá san, 's a rá nach amuigh ar an bhfarraige a fuaireadh mo chnámha.

VIII

Éɪɴɴᴇ a luífeadh isteach i gceart le caoire sa Dún, agus gan bac le
haon ní eile ach iad, bhí aige. Mar tá gach aon ní ann níos fearr
ná a chéile don gcaora adharcach, féar gearra milis agus gan an
talamh ró-ard. Ansan arís, toisc go bhfuil an talamh go léir i
dteannta a chéile, ní bhéarfadh aon tsuathadh orthu ach iad ar a
socaireacht ó mhaidean go hoíche ann. N'fheadair éinne ach an
difríocht a dheineann an suaimhneas so dhon bhfeoil; an chaora a
bhíonn de shíor á crá agus á tnáthadh le gadhair, agus age daoine
ag bagairt uirthi, n'fhéadfadh a cuid feola san gan a bheith righin
i gcomórtas leis an gceann eile. Tá a rian air, bhíodh ana-thrácht
ar chaoire an Dúna riamh, i gcás gurbh annamh in aon chor 'a
ghá dhuit iad a bhreith ar an margadh mar bheadh an búistéir ón
nDaingean chughat an oíche roim ré. Is minic a bhí gach aon ní
ullamh againne mar seo tráthnóna breá Aoine chun iad a bhreith
ar an aonach lá arna mháireach. Na huain deighilte ón gcuid eile
againn i dteannta pé moltacháin a bheadh le díol comh maith
againn. Iad loctha isteach i gceann des na goirt i gcomhgar an tí
againn sa tslí 's ná beadh puinn dá ndua le fáil againn ar maidin.
M'athair bearrtha agus an gadhar, ar mo nós féin, ag léimeadh as
a chraiceann le scóp. D'aithneofá ar fhéachaint air, agus óna
ghothaí ag gabháil tímpeall, go raibh a fhios aige comh maith leis
an nduine féin cá rabhamair ag dul nuair a ghealfadh lá, dhá mhíle
dhéag de bhóthar de shiúl ár gcos isteach dhon Daingean. Ach is
minic, mar a dúrt, a chuirfeadh Mórach an Daingin gach aon ní
i bhfaighid orm féin agus ar an ngadhar nuair a thiocfadh sé ar a
mhótar isteach dhon bhuaile, agus go gceannódh sé ar an láthair
óm athair iad.

Is é scóp is mó a bhíodh orm féin i gcomhair an aonaigh, gan
dabht, go raibh a fhios agam nuair a dhíolfaí na caoire go mbeadh

lá fén dtor agam, béile maith de chaoireoil rósta le tae, agus, b'fhéidir, cúpla pí feola nuair a bhuailfeadh athocras me. Ní haon ní milis a bhíodh ag cur aon tinnis orm, cé go mbídíst agam, mar ná raibh aon chaitheamh, puinn, ina ndiaidh riamh agam. Ach bhí aon ní amháin a bhuaigh orthu go léir, go mbeadh mótar ag teacht abhaile againn tráthnóna. Mótar agus mileoidean nua á sheimint istigh inti, rud mór ab ea a leithéid sin ag teacht isteach dhon Chom tráthnóna Sathairn, mar ní minic a bhí a leithéid le feiscint ann ná aon chóir acu chuige, ar nós phósadh Dhomhnaill Bhuí fadó. Comh luath agus a thiocfaimíst in aon ghiorracht dos na tithe, déarfaí leis an dtiománaí, ambaic, gabháil deas mall tríd an mbaile chun go bhfeicfeadh gach éinne sinn, agus go n-aith-neofaí gach aon mhac máthar a bhí inti. Ní raibh aon doras as san aniar go dtí go stopfadh an mótar ná go mbeadh ceann, agus dhá cheann, trí cinn, sáite ann, ar eagla go raghadh a oiread gan fhios dóibh, agus sinne go mórchúiseach, ambaist, toisc a fhios a bheith againn súile na gcomharsan go léir a bheith orainn.

'Dhóigh le duine gurb ó Mheirice a bhíodar tar éis teacht chughainn,' a déarfadh bean lena comharsain bhéal dorais.

'Táthar Dé gur diail an teaspach a leath,' a déarfadh an bhean eile, 'agus gur dheacair cuid acu so a sheasamh dá mbeadh aon speilp chóir orthu.'

'Age Dia a thása, mhuis,' a déarfadh an chéad bhean, 'gur fada ó mhótars a rugadh cuid mhaith acu so, ach iad sáite fé eireaball an asail ó bhí airde an phúca paidhl iontu.'

'Sin iad agat iad,' a déarfadh an bhean thall, agus oiread úth bó de bhrollach tagtha dhi le conach chun aighnis. 'Mótars féna mbúndún ag teacht abhaile go dtí an gcíste buí agus go dtí an mbainne géar. Is diail an goirteamas é.'

Nuair a dh'éireodh orthu i gceart, ní hag cainnt le chéile a bhídíst in aon chor. Fiú amháin, ní bhídíst ag féachaint ar a chéile, ach aghaidh na beirte acu dírithe i dtreo an chomhthaláin a bhíodh bailithe tímpeall orainne agus sinn ag tuirlingt go hardnósach as an ngluaisteán. Is maith a bhí a fhios againne an leibhéal a bheith ar siúl, ach ná tógfaimíst aon cheann de. Níorbh aon ní é sin go dtiocfadh an mileoidean nua amach, agus rian dí le feiscint ar dhuine nó beirt; is ansan a bheadh abhar allagair i gceart acu.

'Sea, ambaist, beidh cipeadaraíl ar an mbaile anocht, má bhí sé riamh ann,' a déarfadh an chéad bhean léi féin, mar ní hag cainnt leis an mbean eile a bhí éinne dhe lán na beirte acu anois, ach iad ag cainnt as bhéal a chéile i gcomhchlos d'éinne gur mhaith leis éisteacht.

'Mara ndéanfaidh sí oíche bhruíne! Nach maith atá a fhios agat nach folamh a thánadar so tar éis a lae. Ná fuil 'fhios agat go bhfuil cnagairí is rudaí ina bpócaí sin ná cífimíd in aon chor.'

'Up Com Dhíneoil!' ón gcéad bhean, mar bheadh glao coiligh.

'Agus up arís é,' a déarfadh an tarna coileach, á freagairt.

'Fanadh mná fé dhéin an tí anocht, nó beidh a fhios acu féin é,' a déarfadh an chéad choileach, agus ná feadaraís an le formad nó le feirg a bhí sí á rá.

'Fanaidís nó orthu féin bíodh, ar mh'anam.'

'Cúis gháire ó Dhia chughainn,' a déarfadh Peats 'ic Gearailt, agus é ag gabháil thar bráid lena asal, á chur ar sábháil in áit éigin i gcomhair na hoíche, nuair a chloisfeadh sé an chainnt. 'Is fada ó ghá dhíbhse puinn eagla chughaibh a bheith oraibh ins na cúraimí sin.'

'Is maith an áit go rabhais,' a déarfadh duine acu thar n-ais le Peats. 'Ní mór acu a chonacamair ag teitheadh uait féin riamh, ná ó chuid mhaith dhes na liairní fuara atá tímpeall na háite seo . . .' agus a thuilleadh nach gá dhom a chur síos anso.

'Tá sé ráite riamh,' a déarfadh Peats.

'Cad tá ráite riamh?'

'Coileach bán ar chearca nó réadóir mná i mbaile,' agus chuirfeadh de ar eagla go raghfaí níos déine air.

Na rudaí bochta, is fada go mbeadh an seans arís acu. Mar ní hé gach aon lá go mbíodh mótar ag teacht ar an mbaile fé mhuintir an Choma. Ní hé gach aon lá go mbíodh mileoidean nua ag teacht acu. Agus ní hé gach aon lá go mbíodh braon fén bhfiacail acu ag teacht abhaile. Cé thógfadh ar na mná so, mar sin, súp a bhaint as an lá neamhchoitianta so, díreach mar a dh'imeofá féin le haer an tsaoil uair umá seach nuair a bhuailfeadh an rabhait thu. Dob shin ionú acu so é.

Ní le héad ná le formad a bhídíst ag cainnt mar seo in aon chor. Ní hea, ná le neamheontaíocht ach oiread. Mar cuimhnigh go mbeadh éinne den mbeirt acu súd i mbéal an dorais againne fé cheann leathuair a chloig ag triall ar iasacht tae nó siúicre, agus nach é an t-eiteachas a gheobhaidíst ach oiread. An dtuigeann tú, bhí an Com comh deighilte sin amach ón saol mór gur chaith an pátrún a bheith níos dlúthfhite ná mar bheadh sé in áiteanna eile, ionas gurbh é cúram gach éinne ar an mbaile do chúramsa. Nuair a bhí na mná so ag cainnt, is í an dlí a bhí ag cainnt, agus ní raibh aon tsuaimhneas ar an mbaile go rabhadar ina n-éisteacht. Ins gach baile dá leithéid, is í an báiléaraí agus an búrdúnaí an maor atá ar an gcoinsias poiblí. Tá a seasamh féin acu ann, seasamh a théann abhfad siar, agus nár mhaí Dia ar an té a raghaidh ag canntáil a n-údaráis orthu. Mar tá préamhacha an údaráis seo róbhunaithe i ndúchas na muintire as ar shíolraíodar.

Deinim féin amach gur cúram dlisteanach é cúram na mban so. Tá an fothdhuine ann gur idir éigean a ligfeadh an leisce nó an neamhchúis do dul go dtí Aifreann an Domhnaigh mara mbeadh na mná so a bheith ina seasamh idir é agus a choinsias. Is minic a bheadh ba gan crú um eadartha ach le heagla roimis an suainseán. Mara mbeadh na póilíní céanna a bheith ann, is mó cluiche cártaí a raghadh siar isteach go búndún dearg na hoíche, agus is mó bean óg go mbeadh fuar aici a bheith ag lorg a leannáin nuair ab é a áit a bheith sínte léi. Mara mbeadh a gcúirteanna agus a gcoistí bheadh leapacha folmha ar an mbaile, barraí gan baint agus ba ar bóiléagar. Do thitfeadh an baile as a chéile gan iad a bheith ann.

Ach bhíomairne óg agus gan puinn beann againn orthu, mar

ná rabhamair tagtha fé fhaobhar a dteangan fós. Agus faid a bhí
síob fachta i ngluaisteán againn, agus mileoidean nua againn i
gcomhair na hoíche níor chás linn go mbeidíst ag cainnt go
maidean. Ach níl aon scéal ná fuarann, agus dob shin ionú ages
na mná so é. Comh luath agus bheimísne scaipthe agus an gluais-
teán curtha dhi Ceann Sléibhe siar, bhíodar araon i bhfeighil a
gcúraim féin thar n-ais. Agus bhíomairne imithe abhaile, agus gan
aon ní á thaidhreamh duinn ach scléip agus ranngcás na hoíche
leis an mbosca nua. Ní hag púcaíocht a bheadh éinne an oíche sin,
ná ar scáth na gclaitheach, ach gach éinne ag treabhadh ar láthair
an rinnce. Ar thaobh an bhóthair a bhíodh so againn, gan dabht,
agus smúit lastnairde dhínn, mar ná raibh aon tarra air an uair sin
ná aon chuimhneamh ag éinne go bhfeicfí a leithéid choíche. Is
é an port béil a bhíodh riamh againn mar cheol dos na seiteanna,
mar bhí na ríleacha agus a leithéidí eile imithe lem linnse, cé gurb
iad a bhíodh age n-ár n-athracha romhainn i dteannta na seiteanna.
Ach ar shlí éigin, níor ghrámairne riamh iad, agus n'fheacamair
á rinnce iad go dtí go mbeadh braon thiar ages na seanabhuachaillí
ar bhainis nó ar chomhthalán, agus go dtairgeoidís na seanaláracha
chúchu chun ramsach a bhaint as an úrlár agus a thaspáint go raibh
brí agus fuinneamh iontu tamall.

   B'fhíor dos na báiléaraithe, ambaist, nuair a dúradar go mbeadh
cipeadaraíl ar an mbaile anocht. Bheadh dhá sheit ar siúl in éineacht
an oíche sin, mar bheadh fiairí feá ó Dhún Chaoin ann comh
maith linn féin. Agus gan dabht, an oíche a bheidís siúd ann,
dhéanfadh sí oíche ragairneach, mar ní raibh aon bhean ar an
mbaile againne ná beadh amuigh ag bolathaíl ar na stróinséirí,
mná, b'fhéidir cuid acu, ná cífeá idir dhá cheann na seachtaine
agus ba dhóigh leat a bhí imithe seasc ar fad go dtí go bhfeicfeá
an triail orthu. Agus ar mh'anam féin gurbh iad buachaillí bána
Dhún Chaoin a bhí deas ar iad go léir a bhréagadh agus a mheall-
adh trí chéile. Agus b'é an chuid ba mheasa den scéal so ná tabhar-
fadh na fiairí seo a gcuid ban féin in aon chor leo, ná beag an

baol. Slatfhiach a bhí ós na scraistí seo agus bhíodh a n-oíche acu nuair a dh'oireadh dóibh, seáp a thabhairt agus rith agus a ligeant duitse do mhéar a bheith id bhéal agat. Agus ní hí an ceann seasc a bhíodh ós na bioránaigh seo, gabhaimse orm, ach an ceann ba dhealrataí agus ba phearsanta dá raibh ar an gcomhthalán. Ach, gan dabht, bheadh oíche eile againne go gcaithfidíst an comhar a dhíol linn.

Trúmpa a bhíodh agam féin tar éis mo lae sa Daingean i gcónaí. Bhíodh cinn bhuíthe agus cinn ghorma ann, agus is iad na rudaí gorma a bhíodh uainn. Tistiún ab ea an uair sin é, n'fheadar cad a thabharfá inniu air. Ní dhom féin is mó a cheannaínn in aon chor é, ach do Choid mar dob é bas a dtáinig riamh é chun é a sheimint.

'Sea, a Phaidí,' a déarfadh sé liom féin, 'ní tháinís abhaile gan trúmpa, is dócha, nó má tháinís is é an t-iontas é.' Bhíodh a shúil anairde leis ar nós an linbh, a déarfainn.

'Ní thána, ar mh'anam,' a déarfainn leis, ag cur mo láimhe im póca agus á shíneadh chuige. 'Cad déarfá leis?'

'N'fheadar fós go dtriailfead é. Ní déarfainn go bhfuil na rudaí atá ag imeacht anois comh maith in aon chor leis na trúmpaí a bhíodh ag imeacht lem linnse. Tá bailbhíocht éigin ins na gléise-anna nua so. A chroí, ní dócha go bhfuil an stuif á chur iontu inniu, ar nós an scéil ó chianaibh,' agus nuair a bheadh an carúl san curtha aige as do leagfadh sé lena láimh chlé ar a liopa íochtarach é agus d'fháiscfeadh, agus scamhfadh an taobh deas dá bhéal siar leath slí i dtreo a leathchluaise, gur dhóigh leat gur ag cur scaimhe air féin a bhí sé chughat. Ansan, nuair a bheadh méireanta na láimhe clé curtha i bhfearas i gceart ar an dtrúmpa aige do bhuailfeadh sé buille nó dhó le méar láir na láimhe eile ar theangain na húirlise.

'N'fheadar in aon chor cad deirim leis,' a déarfadh sé, agus do thógfadh sé as a bhéal é chun é a mhéarú agus a chuimilt. Ní déarfadh éinne 'sea' ná 'ní hea' leis, mar bhí aithne againn air agus é léite go maith againn; stáitsíocht ab ea an obair seo, agus b'fhearr ligeant leis. B'é críoch agus deireadh na mbeart, ach go háirithe, go leagfadh sé ar a liopa íochtarach arís é agus go raghadh sé trís na geáitsí céanna. Más ea, ní geáitsíocht a bheadh in aon chor anois aige, rud a dh'aithneofá ar an gcéad bhuille a thabharfadh sé dhon úirlis, agus an tarna buille agus an tríú buille, agus iad go léir ag teacht le chéile i streanncán iontach ceoil a thabharfadh síos isteach i gceo brothaill trí chumaracha draíochta thu, agus aníos arís i gcomhluadar na sí go dtí lanntán aerach ar bhruach gleanna nár fhág an ghrian riamh é. B'shin é an ceol agat, agus gan aige ach trúmpa tistiúin; más ea, ní has an dtrúmpa a bhí sé ag teacht ach as scartacha an duine féin, mar atá a fhios ag éinne a sheim trúmpa riamh. Mar, an té ná fuil an ceol ann ní chuirfidh sé air é.

Ansan, nuair a bheadh an méid sin déanta aige do leagfadh sé uaidh é. 'Ní maith é,' a déarfadh sé, mar nár mhol sé aon ní riamh, agus shínfeadh chugham é. Agus ní dhéanfainnse faic ach é a ropadh síos im phóca ar eagla gurb amhlaidh a dh'iarrfaí orm féin é a sheimint, rud nárbh áil liom in aon chor tar éis a raibh de dhraíocht bainte ag an bhfear eile as. 'B'fhéidir go raghadh sé i bhfeabhas le haimsir,' a déarfadh sé fé cheann tamaill, d'iarraidh na nimhe a bhaint as, b'fhéidir, 'ach ní raghaidh más mar sin a bhíonn sé id phóca agat. Bhíodh corc riamh againne orthu san mar chosaint ar an dteangain, agus é fáiscthe suas le snáithín gabh-shnáth. T'r'om i leith é, a bhuachaill, agus cuirfimíd feiste air a choimeádfaidh é.' B'shin é a shlí agus a mheon.

'Ach an chéad lá eile a raghaidh tusa dhon Daingean, bíodh trúmpa dhá theangan ag teacht abhaile agat. Ansan a bheidh an bús againn.'

B'é an trua Mhuire nár dh'éirigh liom ceann acu a dh'aimsiú riamh sa Daingean, mar deireadh na seandaoine go léir nár tháinig a mháistir riamh ar a leithéid. Blianta ina dhiaidh san is ea a thána ar cheann acu i dTráigh Lí, ach sara raibh an seans san liom bhí seana-Sheán san úir agus ciúnas na cille tagtha ar a chuid ceoil go léir.

Sé mhí roimis sin díreach is ea a cailleadh mo mháthair ar a hochtú leanbh, beannacht Dé na nGrást leo araon, agus sara raibh an bhliain istigh bhí an bheirt ab óige a dh'fhág sí ina diaidh curtha ina dteannta. Naoi mbliana díreach a bhíos-sa nuair a cailleadh í, gan ach éinne amháin den ál níos sine ná me, agus gan puinn críoch inti sin ach oiread, Dia linn, mar ná raibh sí i gceart inti féin ó saolaíodh í, agus b'é deonú Dé gur bhailigh Sé chuige féin í blianta ina dhiaidh san. Nár mhaí Dia ar aon tigh ná ar aon athair gur thit an crann san air in aon bhliain amháin, ach sin é mar dh'imigh orainne. Ba leachta an tigh é, geallaim dhuit, ar feadh abhfad ina dhiaidh san, ach do thánamair as.

IX

Le cois m'athar a théinnse ag bothántaíocht gach aon oíche siar dhon Chom. Nuair a bheadh an suipéar caite againn agus na ba seolta, siar linn. Uaireanta bheinnse imithe roimis nó é siúd imithe rómham aon oíche go mbeadh spéirghealaí ann, ach dá mbeadh aon duibhré ar an oíche is i dteannta a chéile a bheimíst ag dul 's ag teacht. Ba chuma leis siúd gan dabht, ach toisc mise a bheith óg ba ghairid Dia liom agam é, mar oíche phúcaí ab ea gach aon oíche a bheifeá ag fágaint an Choma. Ní dhon tigh chéanna a théimís gach aon oíche, gan dabht, ach is mó a bhí ár ngnáth ar thigh an Mhainnínigh agus ar thigh Dhomhnaill Criothain ná ar an gcuid eile acu. Bhíodh Stail gach aon oíche nach mór ag bothántaíocht age Domhnall, agus déarfainn gurb shin é is mó a thugadh m'athair ann mar ná raibh aon áit chuideachtan riamh ach an áit a mbeadh sé.

Daoine breátha ab ea na Criothanaigh chéanna, idir óg agus aosta. Is dócha dá raghfaí siar i gceart go raibh báidhíocht ghaoil éigin acu le Criothanaigh an Oileáin, cé nár chuala an gaol á chur isteach ag éinne riamh i gceart; ní foláir nó bhí sé sínte san am san. Fear naíonta deas ab ea Domhnall féin den tseanastoc cheart; féith an ghrinn ann agus beagán den lúbaireacht nuair a theastaigh uaidh. Bhí dhá mhuintir des na Criothanaigh ar an mbaile, muintir Dhomhnaill agus muintir Sheáin, agus n'fhéadfadh gan ioscad éigin ghaoil a bheith eatarthu san leis. Scéalaithe nótálta ab ea an bheirt acu so, Seán ar an bhFiannaíocht, agus an fear eile ar eachtraithe agus ar mhionscéalta an lae. Amhránaithe breátha ab ea clann Dhomhnaill, go mórmhór Neilí, atá pósta ar an mbaile anois le Séamas Ó Maoileoin, fear atá gairid i ngaol dom féin. Ba dheas a bhíodar go léir eatarthu ábalta ar an oíche a chiorrú dhuit le scéalta agus le hamhráin. Tamall den oíche ag scaothaireacht, tamall eile le háiféis, púcaí tamall eile, agus mar sin de siar go heireaball.

Aon uair a rithfidís gearra sa chainnt is fé Stail a thugaidíst.

'Mhuis, a Phaid,' a déarfadh m'athair leis, 'ní chím an caipín úd ó Mheirice á chaitheamh in aon chor le déanaí agat, nó cad d'imigh air?'

'Níor imigh faic air, ambaiteach.'

'Nach láidir ná bíonn sé ort, mar sin?' a déarfadh Domhnall. 'Nó ab á spáráilt athánn tú?'

'Dhéanfadh sé siúd ana-chaipín Domhnaigh, tása Dia,' a déarfadh m'athair arís. 'Dhéanfadh nó caipín margaidh, ambaist,' a déarfadh Domhnall.

'An naiste, dúirt duine éigin liomsa gur caipín stoirmeach é siúd a bhíonn ages na boic mhóra thall nuair a théann siad suas go hAlaska ar a dturasanna geimhridh,' a déarfadh an Cárthach.

'Ambaiteach go bhfuil sé socair agaibh, eadraibh. Cé dúirt é sin leach?'

'Níl d'údar agam leis, caithfidh mé a rá, ach Seán Ó Mainnín.'

'Más ea, is maith é,' a déarfadh Domhnall, 'fear a thug tamall de bhlianta thall ina measc.'

'Scéal é sin go bhfuil dealramh leis,' a déarfadh m'athair. 'Nach shin é an chiall go bhfuil na cluasa air, ní foláir, agus na scorráin ann chun é a cheangal féd smigín.'

Lúbaireacht cheart ab ea an cúram so ar fad, mar is maith a bhí a fhios ages na bithiúnaigh seo gur caipín fir poist a bhí ann. Bhí sé tugtha fé ndeara leis acu gurb ar an nDomhnach is mó a bhí Stail á chaitheamh, agus níorbh aon ní é sin go bhfeacaidh duine éigin coicíos nó trí seachtaine roimis sin á chaitheamh ag dul dhon Daingean aige é. B'shin iad na súnncanna a bhí á thabhairt fé gan dabht, ach bhí Stail bog orthu agus níor dh'oir an scéal do, ar aon nós. Agus ansan á chur ceangailte as an Mainníneach chun cor eile a chur sa scéal! Cuid den ndráma ab ea é seo, an té a mhairfeadh leis agus a leanódh suas é, agus is iad so a bhí deas air.

Ansan, bualadh isteach go dtí Paid Ó Mainnín, athair Sheáin, agus stáir eile dhen oíche a thabhairt ansúd. Leibhéal ar fad is mó a bhíodh anso ach go bhfaighfeá an fothscéal ann leis, agus an t-amhrán ó Phaid féin mar ba mhaith an sás chuige é agus lán mála acu aige, *Báb na gCraobh*, *An Bínsín Luachra*, *Mal Dubh an Ghleanna*, agus céad ceann nach iad. Bean dlúthmhuinteartha dho Phaid—marab aintín do í—Máire Ní Mhainnín ón gCom, a bhí mar bhean age Seán Ó Duinnshléibhe, file na mBlascaodaí, agus is minic, ní nach ionadh, a thiocfadh ainm an fhile anuas insa chainnt dóibh, Paid féin caite ar a sciain ar an mbord, fear eile taobh istigh de agus fear eile taobh istigh de siúd arís.

'Is cuimhin liom é go maith, ar mh'anam,' a déarfadh Paid, ag eachtraí leis. 'Tá breis is céad blian ann ó rugadh é anois, a déarfainn, agus bhí an cheithre fichid cnagtha go maith aige nuair a cailleadh é.'

'Is maith is cuimhin liomsa féin é,' a déarfadh bean an Mhainnínigh aníos ó thóin a tí, mar a raibh sí sínte ar fhleasc a droma le deich mbliana fichead, gan corraí amach as a leabaidh. Bean chuideachtúil ab ea í, agus bean scéaltach, ach is dócha gurb é sin a choinnigh ina beathaidh comh fada san í. Cé go raibh an tsíneáil thíos mar dheighilt eadrainn, agus ná feacaidh cuid againn riamh í ach a bheith ag éisteacht léi, ba chuid den gcuideachtain i gcónaí í, agus do bhíodh focal aici dos gach éinne againn thuas de réir mar thiocfaimíst isteach.

'Nach iníon do,' a déarfadh sí aníos óna leabaidh, 'a bhí pósta age Eoghan Brún thoir i mBaile Bhiocáire?'

'Is maith an áit go rabhais thíos,' a déarfadh Paid léi, ach ní le seanabhlas é. 'Sea, ar mh'anam, mhuis, iníon do, agus Máire ab ainm di. Thug sí seo an fhilíocht léi óna hathair. Tá sé ráite, agus is dócha gur fíor é, go dtáinig a hathair amach ón Oileán aon lá amháin, gur bhuail sé isteach go tigh an Bhrúnaigh ar a dtuairisc. Bhí sean-Eoghan féin roimis agus an bheirt acu ar dhá thaobh na tine. Do dheargaigh Seán a phíp, agus an nós atá againn féin fós is é a bhí acu gan dabht, is é sin, nuair a bheadh a riocht féin ólta ag an bhfear gur leis í, í a shíneadh go dtí an té ba ghiorra dho agus mar sin tímpeall na cuideachtan ar fad, agus gach éinne de réir mar bhíodh sé críochnaithe leis an bpíp ag guíochtaint le hanamanna na marbh. Go dtí Máire a shín Seán a phíp ar dtúis, agus is mar seo a dúirt sé léi:

'Seo gal dem píp duit, a ríbhean chailce gan cháim.' Ach mo léir! ba dheas í Máire agus do bhí an freagra go caithiseach aici dho:

'Go raibh maith age d'phíp, ach snaois a chaithimse, 'Sheáin.'

'Is inti a bhí sé,' a déarfadh an bhean thíos. 'Agus féach go bhfuil sé ráite riamh ná téann filíocht thar bhean. Agus nach breá nár chualaidh éinne riamh í a bhriseadh amach in aon duine eile dá treabhchas ina dhiaidh san. Is deacair an seanfhocal a shárú, leis.'

'Mara sáródh seanfhocal eile é,' a déarfadh an Mainníneach síos léi.

'Ach, abair leat agus eachtraigh duinn ar Dhuinnshléibhe,' a déarfadh m'athair leis, faid a bhraith sé an teas ann.

'Aduaidh ó Pharóiste an Fhirtéaraigh a tháinig treabhchas Dhuinnshléibhe. Deirtear gur i mBaile na Rátha i nDún Chaoin a rugadh é, cé go ndéarfadh daoine eile leat gur thuaidh a rugadh é; níl aon deimhniú ceart air, a déarfainn. Nuair a bhí an saol ag dul chun deilbhíochta ar an míntír lasmuigh ar fad ag déanamh isteach ar an ndrochshaol, an riach dá mhuintir nár dh'imigh leo isteach dhon Oileán agus nár thugadar leo é, dálta mórán nach iad a dhein an rud céanna ag an am.'

'Agus cad a thabharfadh isteach dhon Oileán iad thar aon áit eile, a déarfá?' an ghuth ó thóin an tí ag cur na ceiste.

'Dhera, fán fada ort, a bhean, nach maith atá 'fhios agat cad a thug isteach iad. Thug, an bia a bheith istigh nuair ná raibh amuigh ach daoine ag siollagar leis an ocras. Bhí an coinín istigh acu, agus an t-éan dearg; bhí an bairneach agus an miongán acu agus an portán, dá ndéarfainn é; bhí, agus an t-iasc acu nuair ná raibh ag an bhfear lasmuigh ach an turaireacht agus prátaí gan annlann. Ach go háirithe, níorbh fhada gur dhein broiceallach maith fir de féin agus gur phós sé ár mbean mhuinteartha, agus bhí aon mhac amháin acu agus triúr iníon. Fear beag deas néata ann féin ab ea an file, agus dinnc fir, ambaist, agus é le haithint i measc na bhfear pé áit dá mbíodh sé. Fear dea-labhartha deisbhéalach, gan puinn den saoltachas ag roinnt leis, agus bhí a rian air, ní mór d'oll-mhaitheas an tsaoil a bhí riamh aige. Ní raibh aige ach féar bó amháin san Oileán, agus nuair a bhíodh an saol ag dul cruaidh air d'imíodh sé leis ag spailpínteacht, ar nós Eoghain Rua féin fadó, soir isteach ar mhargaí Luimní agus Chorcaí agus Thiobrad Árann. Ní raibh Duinnshléibhe oiread agus lá riamh ar scoil; ach do bhí sé ar chruascoil an bhóthair marar fhoghlamaigh sé cullóid agus ragairne, léann agus seanchas, agus ceard na filíochta féin, cuid di, is dócha.'

'Nach breá bog a thagann filíocht ort,' a déarfadh bean thóin an tí, 'go mbeifeá á foghlaim ó dhaoine eile. Nach maith atá's agat mara mbeadh í a bheith ann féin ná tiocfadh sí uaidh mar tháinig.'

'Níor cheap Dia dhuit fanacht it éistcacht thíos ná ligfeadh dom féin agus mo scéal a chríochnú ach go háirithe . . .'

Sin é mar bhíodh an bheirt acu le chéile, ag priocadh agus ag giobadh ar a chéile, ag trasnáil agus ag bréagnú a chéile, agus mara mbeadh san gur fadó a bhí an bhean bhocht a bhí ar a leab-aidh fachta bás. Agus is mar sin eatarthu araon a dheinidís gach pictiúir a chardáil agus a shníomh i slí 's ná déanfása a bheadh ag éisteacht leo dearúd led shaol air. Ba dhiail an ealaí a bhí acu cé nárbh aon ealaí choineasach í, agus faid a mhair a bhean aige ní raibh aon tigh cuideachtan sa Chom ach é.

'An bhfuil aon cháinne sa phíp ag aon diabhal duine agaibh, nó cad a thug sibh?' a déarfadh Paid go fonomhaideach idir mhagadh agus dáiríre nuair a dh'fhuarfadh an scéal.

'Tá go breá agat, ambaiste,' a déarfadh fear éigin.

'Éinne atá gan pinsean, caithfidh sé tarrac caol ar an dtobac.'
Ag tagairt do Phaid a bheifí, gan dabht, toisc an phinsin a bheith á tharrac aige féin.

'Ní measa sibh ná an té atá ag brath oraibh. Dá mbeadh Duinn-shléibhe anso is é a thabharfadh bhur bhfreagra díbhse . . .'

'Ó, sea, an freagra úd a thug sé ar ghaige na pípe?'

'Díreach. Conas é siúd a dúirt sé?'

'I ndéanaí an tSathairn . . .' ag tabhairt gaoth an fhocail do.

> I ndéanaí an tSathairn sea chonacsa an stracaire,
>   A dhúid ar lasadh aige 'gus é 'na shuí;
> Thána gairid do le súil go dtabharfadh
>   Blúire ar malairt dom nó gal dá phíp.
> Ní hé sin a measadh do ach gurb amhla' chreachfainn é,
>   Nach móide go mairfinn leis na fiacha a dhíol.
> Agus ní har mhaithe leis ná go dtabharfainnse ainm air
>   Ach gur bhain fir mhaithe leis a chuaigh dhon chill.

'Mhuise, mo ghreidhin go deo é,' ars an fear ná raibh aon ghal ina phíp ó chianaibh aige. 'Ba dheas é, agus is é an trua nár chas Dia i measc na cuideachtan so tamall é,' ag cur a láimhe ina phóca agus ag tarrac a dhúidín chuige. 'Is maith a dh'oirfeadh leadhb dá theangain do chuid acu so, ach gan puinn náire a bheith iontu, cuid mhaith acu, Dia linn.'

'Cabhair Dé chughainn,' a déarfadh an chéad fhear a chífeadh an phíp ag teacht. 'Ní bheam gan bleaist anocht, ach go háirithe. Bhí gabhair thobac ar dhaoine agus ní maith an galar é. Ar mh'anam nach fada a bheadh sé ag baint chodladh na hoíche dhíot.'

'Nach deas mar chuaigh focail Dhuinnshléibhe i bhfeidhm orainn,' a déarfadh toirmeascóir éigin eile, ar eagla go bhfuarfadh an t-allagar.

'Féach gurb ea, mhuis, a bhuachaill,' a déarfadh an Mainníneach. 'Maireann sé beo agus fós é marbh, mar a dúirt an té a dúirt é.'

Ansan, do shínfí an phíp le n-ól go dtí fear eile, agus dhéanfaí

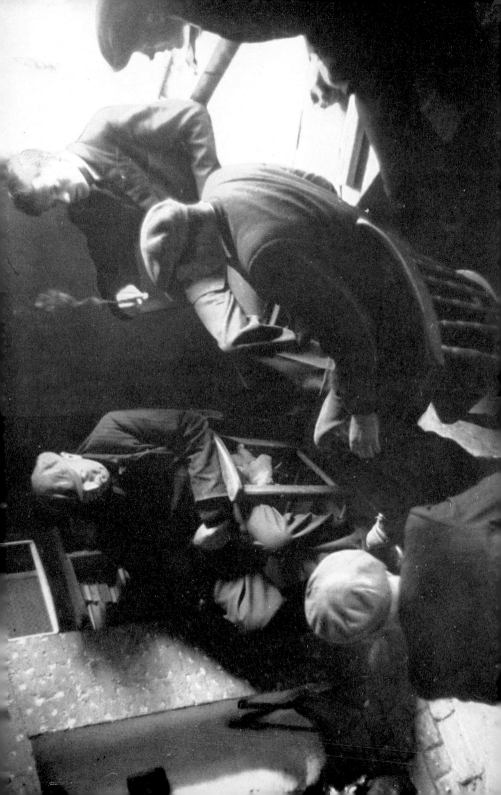

AGHAIDH CAILÍN ÓIG Ó DHÚTHAIGH AN ÚDAIR

Tigh airneáin agus na daoine bailithe]

uanaíocht mar sin uirthi siar isteach go he'reaball. Dá mbeadh aon smiothag fágtha in aon chor inti do gheobhadh an bhean thíos comh maith le fear í, agus ní bheadh aon anam bocht i bPurga-dóireacht an oíche sin ná go ndéanfaí ciorrú ar a shaol ann leis gach aon smuirt dá mbainfí as an ndúid. Do thairgeodh an phíp scéal agus scéal eile de réir mar bheadh na gabhair á shásamh iontu go léir. An fear go mbeadh an phíp ina bhéal aige, do thabharfadh sé fén Mainníneach arís.

'Dhon diabhal, a Mhainnínigh, eachtraigh duinn ar an bhfreagra a thug Duinnshléibhe ar chailligh bhun an bhaile.'

'Bhí a leithéid ann, ar mh'anam,' a déarfadh an Mainníneach, 'agus é i gceist. Bhí file eile ar an mbaile i dteannta Dhuinnshléibhe gurbh ainm do Mícheál Ó Súilleabháin, agus geallaim dhuit ná raibh aon easpa faobhair ar a theangain, ná ar theangain a mhná ach oiread, agus, rud ba mheasa ná san fós, éirim éigin filíochta inti siúd comh maith leo araon. Lá éigin gur ghaibh bean Dhuinn-shléibhe thairsti ar an gcosán, dhon diabhal di nár thug péac éigin fúithi i gcomhchlos don mbaile, ach nár chualaidh bean Dhuinn-shléibhe in aon chor í, an bhean bhocht, toisc allaidhre éigin a bheith uirthi.

'Ba mhaith an mhaise dho Sheán é nuair a tháinig an scéala chuige i dtaobh a raibh ráite ag an mbean thíos. Thug sé faid a téide dhi go dtí aon lá amháin a bhí sí ag gabháil thar bráid aige féin, agus ansan is ea a dhírigh sé uirthi . . .

> Scalladh ort, a dúirt sé, *a chailligh na gaoithe*,
> *Má bheartaís ar bhínsín do rá*,
> *Do thairg mo lachabhean mhín chughat*,
> *'S a samhail ná faighfeá ar mhnáibh*.
> *Go dtaga do ghalar arís ort*,
> *Go leana de shíor thu 's de ghnáth;*
> *'S mar bharr air go dtaga an chráin mhíolach*
> *A íosfaidh ó aois tu go bás.*

F

'Mhuise, a tharrac aniar,' a déarfadh beirt, triúr, 'agus ba mhaith é.'

Cé nach fáidh éinne ina dhúthaigh féin, níor mhar sin do Dhuinnshléibhe é—bhí blas agus dath ar a chuid véarsaíochta riamh acu.

B'shin í an oíche i dTigh an Mhainnínigh, agus bhí sé in am soip ages gach éinne. Ach níorbh aon áit airneáin mar sin an Com, agus ní haon tithe aragail a bhí ann. Mar áit ab ea é go n-oibríodh na daoine ó dhubh dubh ann idir gheimhreadh is shamhradh. Sa gheimhreadh nuair a bheadh faoiseamh ón obair in áiteanna eile, bheadh gainnimh le tarrac sa Chom i rith an lae. Bheadh taoide le freastal chun feamnaí a bheith acu i dtosach an earraigh. Bheadh cnaitheacha i gcaora agus í le leigheas; agus céad rud nach iad. Ina theannta san, bhíodh scoilb raice ag imeacht an uair sin, ailpeanna blonaige agus íle bhuí, boscaí úll ó Mheirice, creachaillí, roillsí agus bíomaí maithe móra, agus nach mór ná go bhféadfá siúl de chosa tiorma trasna thráigh an Choma orthu ós na Leacacha Réidhe ar thaobh an Dúna go Poll an Róin laisteas, dá mbeadh an aicillíocht ionat agus aon chiúnas a bheith air. Nuair a dh'fhágfainnse agus m'athair na botháin, is beag oíche a raghaimíst abhaile díreach, ach bualadh barra na haille soir agus síos isteach ar an dtráigh, chun má bheadh an ailp ann tosach a bheith againn ar éinne eile.

Níl aon áit ar an saol is diamhairí ná tráigh istoíche, agus is maith an té ná tiocfadh greannmhaireacht air ann. Is é uaigneas an mhairbh é, ar shlí éigin, mar is áit é ná taithíonn an daonnaí. Ar í a bheith ciúin is ea is measa í, a déarfainn. Mar, dá chiúineacht a bhíonn sí, beidh lútáil bheag éigin le clos uait thíos i mbun toinne agat nó taobh na cloiche, mar bheadh na céadta sprid ag cogarnaigh agus ag cannrán toisc gur choillis an ciúnas orthu. Ansan gabháil tríd an gcladach soir, agus gach coiscéim dá gcuireann tú dhíot, roilleog nó circín trá á mhúscailt as a suan agat agus uaill na mara sa scread a ligeann sí aisti. Gach aon ní dár chualaís riamh i dtaobh na farraige, is anois a thagann sé ar ais chughat. Ní haon áit don nduine an tráigh istoíche, agus ní foláir nó is é Dia a cheap an t-uaigneas go léir chun ríocht na n-éan a choinneáil saor ón bhfoghail nuair a dh'oireann an suaimhneas dá chréatúirí.

Ach oíche gheimhridh ar thráigh an Choma, sin rud eile. Mar deirimse ciúnas leat an lá is fearr a tháinig riamh ar an dtráigh seo. Oíche gheimhridh agus é comh dubh le pic. Bléitsí móra farraige, agus airde aon tí iontu, ag éirí thiar amuigh, agus, leath bá isteach, iad ag briseadh agus ag réabadh agus á smiotadh féin ar na branndaí méirscreacha dubha i mbéal na trá istigh. Cúrán bán agus farraige cháiteach ag dul anairde ar an bhféar glas ós do chionn suas. Mar bhriseann na hualaithe anuas ar a chéile, gach aon bhúir acu gur dhóigh leat go raibh deamhain na farraige go léir éirithe le conach ó íochtar ifrinn aníos agus ná fágfaidís fochais ná mionnán ina ndiaidh gan réabadh. ✳

B'shin í tráigh an Choma oíche gheimhridh, agus níorbh áit do dhuine ná d'éan í. Ní bhídíst inti ach oiread, mara mbeadh stonairí fánacha mar sinne a saolaíodh anuas uirthi. Ach ní mar a chéile an oíche agus aon am, agus ar mh'anam ná mothaínnse istigh liom féin in aon chor thíos uirthi ins na rabhaiteanna so ag teacht ós na bothán. Do choimeádainn ins na cosa age m'athair gan aon ní a ligeant orm. Clannrach an bharra taoide a chuardaímís linn siar uirthi ins gach cuas agus gach méirscre, agus aon ní a bhuailfeadh leat, é a leagadh uait suas ar strapa éigin go maidean nó go dtí pé am a dh'oirfeadh duit é a bhreith abhaile leat. Mar dob é dlí na farraige i gcúrsaí raice aon ní a bheadh curtha suas mar seo ná leagfadh éinne eile barra méire air. Bhí dlí eile ann nuair a bheadh na daoine le chéile ag sábháil na raice—i rith an lae é seo, abair—an té is túisce a leagfadh a mhéar ar an spreota gur leis sin an spreota san.

Bhí eolas na bpóirsí go maith againne agus ba dheacair d'aon scolb raice imeacht gan fhios duinn. Ní dh'imíodh leis. Úlla a bhíodh uam féin mar bhídíst ann, úlla móra dearga, ach iad a bheith bogtha ag an sáile. Más ea, sin iad na húlla a dh'íosfaí go milis, cé go raibh lán seomra age baile acu cheana féin tar éis iad a bheith tagtha isteach leis an bhfarraige ar an slí chéanna. Boscaí lán d'uaireadóirí ag teacht mar an gcéanna—uaireadóirí Ingersoll—agus ceann acu ar shlabhra ins gach aon phóca ar an mbaile, gur dhóigh leat ná raibh ann ach gaigí faid a mhair an biaiste. Iad á bhriseadh le casúir againne, gramaisc óg an tí, agus a gcuid putóg á ligeant amach ar an mbán againn de réir mar bhuailfeadh an teidhe sinn. Bhí uaireadóirí age daoine ar an mbaile an uair úd agus gan iad ábalta ar an am a léamh orthu, mar ná bíodh na cloig féin ar an mbaile, ach i bhfoth-thigh anso 's ansúd, ná puinn cúram dóibh ach luí leis an uan agus éirí leis an éan, mar a deiridís féin.

Ach bhí uaireadóir age Seán Ó Mainnín, gan dabht, mar bhí san i Meirice; más ea ní ceann Ingersoll í, ach scláta mór óir, ambaist, agus slabhra dúbalta uirthi a bhí lán de shligríní, agus ná raibh aon radharc ar an mbaile ach iad nuair a bhíodh an ghrian ag saighneáil orthu agus iad leagtha trasna ar bhun a bhoilg aige ó phóca go póca. Mar a dúrt cheana anso, bhí Seán bolgshúileach ann féin, agus bhí giorra radhairce ar an bhfear bocht, ní há chasadh leis é. Agus cé go raibh Seán ina lúbaire críochnaithe é féin, bhí lúbairí agus alfraitsí eile istigh leis. Pé léas radhairce a bhíodh age Seán amuigh fén aer, nuair a thagadh an chontráth air agus go raghadh sé isteach i dtigh ní dh'fhanadh léas ina cheann, ach leis an sruth-mheabhair a bhíodh ar an dtigh aige, a bheith ag paidhceáil roimis go mbainfeadh sé an chúits amach. Bhíodh duine éigin des na buachaillí bána istigh, gan dabht, ach an dóigh leat go bhfiafródh sé an t-am de Sheán tar éis do a cheann a chur thar doras isteach? Ar mh'anam féin ná déanfadh, a gharsúin, ach fanacht go mbeadh sé socair síos ar an gcúits nó ar an gcathaoir do féin i gceart. Is ansan a chuirfí an cheist air, nuair ná beadh aon dul aige ar an am a léamh sa bhreac-dhoircheacht gan dul comh fada leis an ndoras.

'Sea, a Sheáin, is dócha go bhfuil sé ag druideam le déanaí, nó cén t-am in aon chor é?'

'Dhera, nach diail an tinneas atá á chur ag an am oraibh,' a déarfadh Seán bocht, 'agus é comh luath san sa tráthnóna.'

'Ní haon tinneas mar sin é, go deimhin,' a déarfadh an buachaill bán, 'ach gurb annamh a bhíonn an t-am ceart againn.'

'Agus cé dúirt gur age Seán a bhí an t-am ceart,' agus é ag ainnliú leis ar a dhícheall d'iarraidh iad a chur de.

'Gan a bheith ag an gcuid eile againn ach Ingersolls agus meirg an tsáile iontu, agus ná féadfaí aon iontaoibh a thabhairt leo. Tá an ceann ceart agatsa, ar mh'anam, mar fuairis san áit cheart í.'

Théadh an moladh so go dtí ceann Sheáin bhoicht, mar tar éis na halfraitsíochta go léir bhí saontacht éigin ag roinnt leis, agus bhíodh sé ar lic an dorais sara mbeadh a charúl críochnaithe age mac an toirmisc thuas. B'shin iad na cúinsí sa Chom, agus d'imigh an diabhal orthu. Ach chuaigh Seán amach orthu fé dheireadh, agus do chaitheadar tabhairt suas. Is é a dheineadh sé as san amach féachaint ar an am sara raghadh sé isteach agus a ligeant dóibh a méar a bheith ina mbéal ansan acu. Agus dob é a bhí tuillte acu. Ach cad déarfá leo nuair a bhraitheadar go rabhadar sáraithe aige ná fiafraíodh an t-am in aon chor de? Más ea, do thairg Seán cleas eile ansan chuige. Nuair a bheadh sé suite ina chathaoir díreach, a uaireadóir a tharrac chuige agus an t-am a léamh dóibh, mar dhe, agus gan éinne á fhiafraí dhe. Nach deas mar do shmachtaigh sé iad!

Sea, bhíos féin agus m'athair tar éis na trá a bheith cuardaithe againn aon oíche amháin mar seo gan faic dhá bharra againn. Ní raibh an t-úll féin ann. Lag trá díreach a bhí sé, idir an lag 's an lom; taoide rabharta ann, agus an tráigh scamhaite amach ar fad. Tharainn soir is ea a bhí an cladach go dtugtaí Carraig na Pairte air, branndaí a bhíodh fé uisce le barra taoide. Do bheartaíomair go gcuardóimíst an cladach so sara raghaimíst abhaile, agus soir linn. Do thánamair comh fada leis an gCuaisín, góilín farraige leath slí soir ann, agus an bóthar díreach ós a chionn anairde, dathad éigin troigh, is dócha. Tiormaithe suas i mbéal an ghóilín seo, cad a bheadh ná bairille iarainn, agus gan bogadh ná sáthadh le baint as, bhí sé comh trom san. Bhain m'athair an corbh de, mar sin é déanamh a bhí air, foradh ná raibh agat ach cúpla buille dhe chloich a thabhairt do agus bhí sé oscailte agat. Lán de chadás éigin a bhí sé go raibh bolath bréan uaidh. 'Gun-cotton má tháim beo,' arsa m'athair. 'Ach conas a shábhálfaimíd é?'

Do suíomair síos féachaint cad d'fhéadfaimíst a dhéanamh. 'Tá sé agam,' arsa m'athair. 'Fan-se ansan, agus beadsa chughat!

Níor dheas an áit dom leithéid é, geallaim dhuit, ag déanamh isteach ar am mhí-mhairbh na hoíche. Dar an leabhar so ná fanfainn inniu ann ar aon airgead. Bhíos ag breith chugham féin; dá mbeadh na faoilinn féin ann nó na fiaigh mhara chun cuideachtan a dhéanamh dom, ach ní raibh. Is é eagla is mó a bhí orm go mbuailfeadh rón chugham an cladach aníos, mar áit rón ab ea é, go mórmhór istoíche, agus ná feadar cad a dhéanfainn leis mar ná raibh mo dhíntiúirí san ealaín sin fós agam. Bhíos ag cur 's ag cúiteamh mar seo, agus me ag cainnt liom féin ar dalladh—comharthaí an mheatacháin riamh, a deirtear—nuair a chuala an tsrann uam síos. Do chuir sí an ghruaig ina coilgsheasamh ar mo cheann agus tháinig cáithníní ar mo chraiceann. Bhí fuarallas tríom amach, agus ná feadar cá dtabharfainn m'aghaidh. Bhíos díreach chun tabhairt fén strapa anairde nuair a chuala an scread ó bharra, díreach mar bheadh an nimh ar an aithne. Ach ar mh'anam féin nár stop san me gur bhaineas an bóthar amach. 'Cad a tháinig ort?' arsa m'athair. 'Ní déarfainn go bhfuileann tú istigh leat féin.'

'Srann a chuala sa chladach laistíos díom,' a dúrt leis, agus gach aon fhocal ag breith ar shála a chéile le hanabháth.

Do gháir sé. 'Bainirseach róin í sin,' a dúirt sé. 'Tagann sí isteach ansan mórán oícheanta ar lag trá. Ní baol dhuit a leithéid sin ach ligeant di.' Aon nath eile níor dhein sé dhe, ach é a dh'fhágaint mar sin agam.

Dhá théad ualaigh a bhí aige agus iad greamaithe as a chéile, agus braitlíntí, agus iad tabhartha ón dtigh aige. Más ea, is é féin a chuaigh síos dhon Chuaisín, mar ná ligfeadh eagla dhomhsa m'aghaidh a thabhairt síos arís ann. Ligeas-sa síos an téad chuige, agus de réir mar líonadh seisean an bhraitlín leis an gcadás do thairgínnse anairde ar barra é, go raibh an bairille folamh ar fad againn.

X

A Fhirtéaraigh is dúch liom do Dhún a bheith síos,
Gan fáil anois suí istigh led shaol ann.
Ansúd a bhíodh flúirse ag lucht súgartha 's grinn,
Bhíodh tarrac ar fhíon is ar thae acu.
Lucht géamach nuair thagadh níorbh aistear leo suí,
Bhíodh stations na sagart ann uair insa mí;
Níl éinne do chloisfeadh gach cor a ndeaghaidh díbh
Ná go bpléascfadh a chroí le truamhéil díbh . . .

SIN é mar do labhair an file Ó Duinnshléibhe suas le céad blian ó
shoin nuair a theastaigh uaidh annró agus cruatan an tsaoil a bhí
suas lena linn féin a cháiseamh—scread ó chroí file ar chroí file
eile a bhí sa chré le breis is dhá chéad blian roimis sin; níor ghá
dul thareis mar chomhartha ar an urraim a bhí dho agus ar an
ndea-bhlas a bhí fágtha ina dhiaidh i mbéal na ndaoine aige.

Dá raghfá isteach in aon cheann des na tithe airneáin sa Chom
lem linnse, bheadh a fhios agat go leanann níos mó béaloideasa
Piaras Firtéar ina dhúthaigh féin ná mar a leanann éinne eile de
lucht a chomh-aimsire, fiú amháin Seathrún Céitinn agus Aogán
Ó Rathaile féin. Cumadóireacht is ea cuid mhaith dhen mbéal-
oideas so, go deimhin; scailéithean agus áiféis, agus snáithíní na
fírinne ag rith tríd anso agus ansúd. Cuirim i gcás an scéal a chuala
ón gCriothanach aon oíche amháin agus sinn bailithe tímpeall na
tine . . .

'Aon lá amháin fadó riamh nuair a bhí Piaras Firtéar i réim sa
taobh so tíre, d'ardaigh sé a sheolta agus thug sé a aghaidh trís na
haird ó thuaidh, agus stad ná fuar níor dheineadar gur shroicheadar
Cuan na Gaillimhe. Ba mhaith an mhaise dho phrionnsa na háite
sin é, ambaist, mar ní fada a bhí Piaras agus a chomhluadar lonn-
naithe sa chuan gur thug sé cuireadh dinnéir do féin agus dá

chaptaen loinge. Lá arna mháireach, do thug Piaras athchuireadh
don bprionnsa agus dá mhuintir chun féasta ar bord loinge, agus
do bhí iníon an phrionnsa darbh ainm di Sibéal Ní Loingsigh ina
measc. Le linn don scléip agus don gcaitheamh aimsire a bheith
ar siúl in íochtar na loinge, cad deirir le Piaras nár sheol an t-ordú
so chun a chaptaein—

> Ordú ód mháistir a chairde mín,
> Riaraigh do chriú agus dein do chúram cruinn;
> Nuair a bheidh sult is greann féd bhonnsa thíos
> Tairg go sleamhain na hanncairí;
> Scaoil í fén mbá le gála mín
> Is cuirse do tháclaí in áras cruinn,
> Tabhair moladh an tseoil mhóir di gan stuaic gan reef,
> Agus tairg go buacach Cuan an Chaoil.

Deir an scéal so gur phós Piaras Sibéal tar éis í a chur i bpoll
folaigh nuair a bhraith sé an tóir ag teacht air; gur báthadh ansan
í, nó ná feadair éinne cad d'imigh uirthi. Scéal measctha é seo,
mar má thit sé amach in aon chor is áirithe gur do dhuine de
shinsir Phiarais é. Mar is i ndiaidh an tSibéil sco a baisteadh Ceann
Sibéil ar an rinn ó thuaidh ó Cheann an Dúna mar an raibh a
gcaisleán ages na Firtéaraigh, agus bhí an ainm sin ar an rinn sarar
saolaíodh Piaras!

Níl fágtha inniu de Dhún an Fhirtéaraigh ach cúinne de dhá
fhalla; ní mhaireann de chuan so na féile agus na filíochta ach,
mar a dúirt an té a dúirt é, 'fothrach scriosta nochtaithe agus a
chleathracha ar leathadh roim ghaoith na gcnoc agus garbhshíon
na mara.' D'aithneofá, mar sin féin, ón láthair gur teaghlach mór
a bhí anso tamall. Bhí díg dhoimhin go bhfuil a rian ann fós mór-
dtímpeall air agus droichead crochta ós a chionn. Bhí crot caisleáin
air go dtí 1845 nuair a leag stoirm aniar 's aneas é.

Do tháinig na Firtéaraigh féin, de réir dealraimh, go hÉirinn sa
bhliain 1290. Normannaigh ab ea iad, agus Le Fureter an tsloinne

a bhí orthu an uair sin. Do chuireadar fúthu sa taobh tíre tímpeall ar Bhaile an Fhirtéaraigh, agus d'fhanadar ann gan scaipeadh go dtí aimsir Chromail. Is minic ainm na bhFirtéarach luaite i seana-scríbhinní idir an dá linn gan aon eolas gurbh fhiú trácht air. Ní raibh aon trácht ar Phiaras féin go dtí éirí amach na bliana 1641. Bhí sé ina cheann an uair sin ar mhuintir Firtéar a bhí fé ardchíos ag Iarla Dheasmhumhan. Cé gur de stoc na n-allúrach é, do ghlac sé páirt na nGael san éirí amach san le hairm faobhair a bhí fachta ó Thiarna Chiarraí aige d'aonghnó ghlan chun na méirleach a chur fé chois! Do thug sé dhá bhliain déag ar cheann a shlóite mar seo go dtí gur thit Caisleán an Rois i gCill Airne, rud a bhris dóchas agus sprid na nGael sa chontae ionas gur dh'imigh Piaras go Cill Airne chun a théarmaí síochána a leagadh amach leis an mBrigadier Nelson, a bhí i gceannas slóite na nGall. Seanascéal is ea anois é, conas mar do leag saighdiúirí Nelson lámh air agus é i gCaisleán na Mainge ar a shlí abhaile thar n-ais do; conas mar do ghabhadar é, agus mar do chrochadar é i gCnocán na gCaeireach i gCill Airne sa bhliain 1653. Is mar seo a labhrann Seán Ó Conaill, file, ar an bhfeillbheart san:

> Créad ná caoinfinn saoi na féile,
> Piaras Firtéar ba mhór tréithe,
> Conchubhar Thaidhg agus an tEaspag Baothlach
> Do crochadh i gcroich i gCnocán na gCaeireach,
> Ceann Uí Chonchubhair ar an spéice,
> Transplant, transport go Jamaica . . .

Is é a dhein feillbheart de, gan dabht, é a bheith geallta age Nelson bealach slán a sholáthar do go sroichfeadh sé cuanta an Daingin thar n-ais, agus é a chrochadh gan triail gan choiste.

Ach cérbh iad an Conchubhar Thaidhg agus an tEaspag Baoth-lach so atá á chaoineadh age Seán Ó Conaill in éineacht le Piaras? Tá a fhios againn, cuirim i gcás, gur hídíodh an tEaspag Baothlach Mac Aogáin ar an láthair chéanna sa bhliain 1650, agus gur

cuireadh deartháir céile dho Phiaras, an tAthair Tadhg Ó Mur-
chadha, a bhí ina phríora ar an gColáiste Doiminiceach i dTráigh
Lí sa bhliain 1651, gur cuireadh chun báis é sin ann comh maith
ar an 16ú Deireadh Fómhair, 1653. Ab iad so an bheirt atá á
chaoineadh age Seán Ó Conaill? Is deacair a rá. Ach seo scéal a
chuala ó bhéal Pheig Sayers, trócaire uirthi, lá dá rabhas istigh aici
agus sinn ag cainnt ar Phiaras . . .

'Do crochadh sagart agus easpag cráifeach diagaithe in éineacht
le Piaras. Is é an sagart a crochadh ar dtúis, agus nuair a bhí an
t-easpag le cur ar an gcroich d'iompaigh sé ar Phiaras agus dúirt:
"Ní haon tábhacht sinne a bheith á chrochadh ach tusa, mar ná
beidh do leithéidse de thaoiseach códha ná de chúl chosanta go
deo arís againn." Leis sin, do shín sé cloichín bheannaithe chuige,
dúirt leis í a chur ina bhéal agus ná crochfadh aon chnáib go deo
é. Do theip ar an gcrochtóir é a dh'ídeach don chéad iarracht,
agus do theip air insa tarna hiarracht. Ach an tríú huair agus é ag
tabhairt fé, "Fóir ar do láimh," arsa Piaras, "níl gad ná cnáib a
chrochfadh mise, ach ní bheidh sé le casadh liom féin ná lem
shliocht im dhiaidh gur fuílleach croiche me." Leis sin, do thóg
sé amach an chloichín bheannaithe, do bhain fíor na croise air féin
léi, agus do chaith uaidh thar n-a ghualainn í. "Anois, más ea,"
ar seisean, "scaoil orm é." Agus is ansan a dh'éirigh leis an gcroch-
tóir a chúram fealltach a dhéanamh.'

Níl aon deimhniú sa stair ar an eachtra so, ach is ait iad clis an
bhéaloideasa. Nuair a thosnaíonn an béaloideas le duine mór le rá
mar seo, ní chríochnóidh sé leis go mbeidh a charachtaí agus a
mheon, a thréithe agus a ghníomhartha múnlaithe aige go dtí ná
beidh ann ach mar bheadh scáthán ina bhféadfaidh an chine a scáil
féin a dh'fheiscint agus iontas a dhéanamh di, na tréithe is annsa
léi féin luaite leis an bhfear san aici, deineadh san galánta nó suarach
é. Níor dh'éalaigh Piaras Firtéar ón íde seo ach oiread le duine;
ar bhéal na ndaoine is é an fear ar a choimeád é, an madadh rua
le gliocas, an cearrbhach agus an cleasaí nár sháraigh éinne riamh;

Eoghan Rua agus Domhnall Ó Conaill agus an Scarlet Pimpernel, agus iad go léir measctha trí chéile i bhfeirm na haon phearsan amháin. Is é an galar céanna a dh'imigh ar Phiaras. Eachtraí luaite leis a bhain do dhaoine eile ar fad. Filíocht curtha ina leith nár dhein sé riamh, agus nárbh aon chreidiúint fiú amháin don té a chum í. Ach ní haon chuid de ghnó an bhéaloideasa ceart na staire a bhreith in iomlán leis, agus ná bímís gearánach má thugann sé cuid den gceart so féin leis i bhfolach i measc na hórnáide go léir.

Níl aon deimhniú sa stair, ach oiread, ar scéal eile a chuala ó bhéal Pheig a deir gur bean fé ndear é a chrochadh an lá úd i gCnocán na gCaeireach. Tabharfaidh mé anso é ina focail féin:

'Bhí dlí chruaidh, chlaon san am san a sheasaimh i bhfeidhm nó gur ráinig an Connsailéir Ó Conaill i gcumhacht. Aon bhean óg a leagfadh a súil ar ógánach, d'fhéadfadh an bhean san dearbhú air agus do chaithfeadh sé í a phósadh nó fulang le hé a chrochadh. Bean a bhí thoir in aice le hOileán Ciarraí a fuair amharc súl ar Phiaras cúpla uair agus do thit sí i ngrá leis, agus do phósfadh Piaras í mara mbeadh canáile mhór a bheith eatarthu. Ní raibh sí dá chreideamh féin, agus, rud eile, bhí sí mar namhaid age n-a athair agus a lucht leanúna. Do chuir sí scéala chun Piarais ach dob éigean do an diúltamh a thabhairt di. Deirtear gurb shin í a dhearbhaigh air agus a chuir chun na croiche é, agus tá rann i mbéalaibh na ndaoine a dhein sé mar gheall ar an eachtra so sarar crochadh é—

Ní hé marú an Dúna a dhubhaigh mo mhuineál riamh,
Ná a ndúrthas liúm i Siúnda an Oileáin Tiar,
Ach an mhaighdean mhúinte bhúig-mhilis na gcocán gciar
Nár dheaghas 'n-a clúid i dtúis ná i ndeireadh mo shaoil riamh.

Marú an Dúna ort! Maireann so mar eascaine fós i measc na ndaoine i gCorca Dhuibhne. Leanann a scéal féin Marú an Dúna so, agus b'fhéidir nár mhiste é a thabhairt anso mar a fuaireas ó Thomás Criothain, An tOileánach, beannacht Dé lena anam, é:

'Bhí Piaras ag filleadh ón gcogadh le cheithre chéad fear, agus nuair a bhraith sé an tóir ag dul ródhian air do chuimhnigh sé ar sheift. Bhí scoilt déanta ag an bhfarraige le hais leis an gcaisleán, agus do thóg sé féin agus a chuid fear droichead bréige trasna na scoilte. Is amhlaidh a thosnaíodar ag méadú agus ag faidiú na scoilte, agus nuair a bhraitheadar í a bheith leathan doimhin a ndóthain acu, do chlúdaíodar le cleitheacha agus le scraithíní glasa í, ach do bhí áirsí déanta acu dhóibh féin go raibh a marc acu orthu trasna na scoilte. Do bhíodar ullamh go maith dhon namhaid nuair a thánadar san i dtreo an Dúna, agus nuair a buaileadh an cath eatarthu is ansan a bhí an liútar léatar ann—Piaras agus a chuid fear ag cúlú go deas seiftithe trasna an droichid mar an raibh a gcuid marc fágtha acu dhóibh féin, agus an chuid eile ag titeam isteach ar bhior a gcinn síos dhon scoilt go rabhadar uile go léir smiotaithe ar an carraigreacha laistíos. Tá sé ráite gur maraíodh míle fear san éirleach an lá san, más fíor an scéal . . .'

Níl aon deimhniú ag an stair air seo ach oiread, ná ní hé seo Fírtéarach na staire. Ní hé an feillbheart claon so a mheasfá dhon dtaoiseach oscailte geal a ghlac i gcion na Gaill féin tar éis a gcuid arm a bhaint díobh i gCaisleán Thráigh Lí, ach a chlúdaigh le héadach iad agus a thug cead gluaiste dhóibh go dúnaibh eile ar fuaid na tíre, gan bascadh ná bárthainn a dhéanamh orthu.

Is iontach liom féin riamh nár mhair aon chuid d'fhilíocht Phiarais Firtéar ar bhéal na ndaoine i gCorca Dhuibhne. Tá cuid mhaith dhen bhfilíocht a dhein sé, gan dabht, atá ró-ársa ina friotal agus ina deilbh, agus do chaithfeá a mhaitheamh d'aon chine a ligfeadh i ndearúd í. Ach ní mar sin dá chuid filíochta go léir é. Agus an chuid di ná raibh mar sin, ní déarfainn ná gurb í an chuid is fearr di í. Is iad na dánta grá a dh'fhág sé againn atá i gceist agam—*Thugas annsacht d'Óigh Ghallda*, cuirim i gcás, a chum sé i dtaobh Mheig Ruiséil ó Londain, ina dtugann sé 'an t-úll óir' agus 'grian agus glóir na nGall-bhan' uirthi; ceann eile—

> *Lig díot t'airm, a mhacaoimh mná,*
> *Muna fearr leat cách do lot;*

> *Muna ligfir na hairm sin díot*
> *Cuirfead bannaí d'airithe ort.*

Deacair teacht ó ghalar grá ceann eile, agus an ceann is dócha is breátha a tháinig óna pheann:

> *An bhean dob annsa liom fén ngréin*
> *Is nárbh annsa léi mé ar bith;*
> *Ina suí ar ghualainn a fir féin*
> *Ba chruaidh an chéim is mé istigh.*
> *Is mairg do-ghní branar go bráth,*
> *Ná a bheir fás fada dá chuid féir,*
> *Is an t-an do chuas-sa i bhfad*
> *Cur coilleadh mo nead thar m'éis.*
> *Ná toigh bean ar a scéimh*
> *Go bhfionnfair céard é a locht;*
> *Tar éis iad a bheith dearg*
> *Is searbh blas na gcaor gcon . . .*

Aor searbh, seanabhlastúil, nimhneach a dh'fháisc an freagra so as fhile eile—

> *Beannacht ní thugaid na mná*
> *Ar ainm an dáimh a rinne an duan;*
> *Bean a geintear d'aon fhear amháin*
> *Agus bean eile a bheir a slán fén slua.*

Is chuige seo atháim: gur chuala an rann deireanach so ar bhéal na ndaoine, ach focal riamh níor chuala d'fhilíocht Phiarais a spreag é, agus a bhí gach aon phioc comh sothuisceana agus comh somheabhraithe leis. Níor dh'fhan de chuimhne Phiarais, file, ach ranna beaga ceathair-líneacha, cuid acu cuíosach agus cuid acu gan bheith cuíosach féin, chun an chlabhsúir a chur ar eachtra éigin a luaitear leis, agus ab fhéidir nár thit amach riamh. A leithéid seo:

Cearrbhach nótálta a tháinig go dtí Dún an Fhirtéaraigh aon lá amháin, agus chnag sé ar dhoras an Dúna go ligfí isteach é.

'Cé thá amuigh?' arsa Piaras.

'Tá, an File Folamh,' ars an fear amuigh. D'oscail Piaras an doras do, agus, dar ndóigh, bhí ainm Phiarais anairde mar chearr-bhach, gach cleas níb fhearr ná a chéile aige ar na cártaí. Ní haon easpa cleas a bhí ar an bhFile Folamh ach oiread leis, agus b'sheo iad féin le chéile go dtí ná raibh fágtha i ndeireadh na hoíche ag an gcuairteoir ach a chuid éadaigh cé go raibh a phócaí teann go maith ag teacht isteach do.

'Cuirimíst iad go léir ar iompú cárta,' ars an cuairteoir. Do chuireadar. Agus má chuireadar, do bhuaigh Piaras iad. Ní raibh le déanamh age Piaras ansan, nuair a bhí an fear eile nochtaithe aige, mar ná féadfadh sé é a ligeant abhaile ina gheilt, ach fallaing pháipéir a chur ina thímpeall agus scaoileadh leis. Is mar seo a labhair Piaras agus an fear eile á dh'fhágaint—

> Do bhearta gasta níor thairbhigh duit mágáinne,
> Agus ceart do bhaistithe is agamsa is fearr thárla;
> Is caol do thaise gheal fé fhallaing an dá shnáithe,
> Agus is fear mar t'ainm tú ar maidin im fhágáilse.

Sin é Piaras na gclaonbheart arís againn, Piaras Mharú an Dúna, an fear ná féadfaí an uaisleacht ná an ghalántacht a lua leis. Is fada, agus is lánfhada, idir é seo agus an scáil ghlórmhar a dh'fhág an fear féin ina dhiaidh ar leathanphár na staire againn—an flaithe agus an taoiseach neamhchlaon, an file agus an ceoltóir, an fear go gcuireadh filí na gceantar máguaird a gcuid dánta chuige le ceartú agus le léirmheas. Agus níl aon amhras ná go gcabhraíodh Piaras go fial leo agus go raibh a lán acu ag taisteal air. Mar a deir file anaithnid—

> Do chiapadar siar mé 's aniar arís,
> A dtriallann ar Phiaras Mac Éamainn díobh.

Agus féach cad dúirt Éamann Húsae an Mhachaire, an file a chaith cúram an cheartúcháin seo a thógaint air féin tar éis bháis Phiarais—

Dá maireadh Piaras ina Dhún—
A thiteam don Mhumhain ba dhíth—
Ní bheidís trodairí triúch
Ag cur lodairní chughainn gan sníomh.

Sea, is eagal liom nach é sin an Piaras a mhaireann ar bhéal na ndaoine ach scáth atá múnlaithe ar a slí féin acu, fear eile ar fad, fear cleas agus deismireachta, fear glic, ábalta; fear a raghadh síos fé uisce ag triall ar phortán chun baidhte a sholáthar lá iascaigh; fear a bhí díreach mar iad féin ar mhórán slite, ach a bhí i gcosúlacht le Dia féin ar shlite eile. Ach más é an pictiúir claon so féin a dh'fhan ar bhéal na ndaoine, ní dh'fhágann san ná gur dhein sé maitheas ar shlite eile. Do thug sé abhar caibidil agus allagair dóibh a chothaigh an fhilíocht agus an deisbhéalaíocht iontu, tréithe ab fhéidir a bheadh marbh fadó iontu mara mbeadh gur ráinig a leithéid ina measc. D'fhág sé anam agus brí sa taobh tíre sin, agus do thug abhar laochais agus mórtais cine don mhuintir a tháinig ina dhiaidh. Do shaibhrigh sé an teanga, agus do théigh í le huaisleacht a fhriotail féin. Do thug an leanbh a ainm ar a bhéal ó chois an chliabháin leis; is fé scáil Phiarais a tógadh é, agus is fé anáil Phiarais a ritheadh an scoil scairte agus an coláiste cois tine nuair a bhuaileadh an Scoláire Bocht isteach san oíche chun greim le n-ithe agus fascaine ón sín a dh'fháil. Is fuar an rud é an stair, ach ní fuar é an béaloideas; mar tá teas agus muintearthas ag roinnt leis a théann an phearsa go dtugann sé gean do agus a chuireann anál na beatha ann dos na daoine is mó gur fiú leo acu é, a mhuintir féin.

PEIG

XI

Is IAD na cúraimí seo a choinnigh ina mbeathaidh sa Chom iad—
ag dul siar ar an seanashaol agus ag tarrac chúchu aniar as. Agus
dob é an tarrac ar an saibhreas é, cé go bhfuil cuid mhaith dhe
imithe síos dhon úir lena gcois anois agus gan aon teacht air. Mar
a dúirt Séamas Beag Ó Lúing Bhaile an Ghleanna fadó nuair a
chuir duine des na Laethanta Breátha úd ceist air conas mar bhí
an Ghaeilge fós i nDún Chaoin: 'Dhera, a mhaoineach,' a dúirt
sé, 'tá airde na binne d'fhéar ar an gcuid is fearr den nGaelainn.'
   Do dheineas tagairt cúpla uair cheana sa tráchtas so d'úncail
liom go dtugaimíst an Cárthach air. Leasdeartháir dom athair ab
ea é, mar ba leis na Cárthaigh an Dún sara dtáinig muintir
Mhaoileoin riamh ann. Bhí an fheirm ar feadh abhfad de bhlianta
roinnte idir é féin agus m'athair agus an dá thigh ar aon phábhaille
lena chéile, ceann acu trasna, agus a ghualainn fén gcnoc ag an
gceann eile. Bhí san maith go leor nó gur cailleadh bean an Chár-
thaigh, Cathánach mná ó Bhaile an Ghleanna agus comharsa bhéal
dorais do Shéamaisín Ó Lúing. D'ardaigh an Cárthach a sheolta
ansan nuair a bhraith sé an saol a bheith dulta ina choinne, agus
chuaigh i bhfeighil tí tabhairne sa Daingean. Do thug sé suim
mhór aimsire ag gabháil don obair sin—chúig mbliana déag nó
mar sin—ach do luigh sé isteach leis an ól rómhór, agus dob éigean
do na blianta deireanacha dá shaol a chaitheamh farainne.
   Is é an saibhreas go rabhas ag tagairt thuas do a chuir im cheann
a ainm a tharrac anuas anso. Mar níor chuireas in aithne dhíbh
ach aon ghné amháin dá mheon go dtí so, an leagadh a bhí le
cleasaíocht agus le toirmeasc aige. 'An trasnálaí' a thugadh daoine
mar leasainm air toisc é a bheith ceanúil ar an sórt san oibre. Ach
do bhí an tarna taobh air, go raibh sé ar an bhfear ab éirimiúla dá
raibh istigh i bparóiste Dhún Chaoin agus ní gá dhom dul las-

muigh dhe san. Ní raibh mac máthar ná iníon athar sa pharóiste ná go raibh sprioc ag an gCárthach leis an lá a rugadh agus a baisteadh agus a pósadh iad. Ní raibh gaol ná comhgas ná go bhféadfadh sé a chur isteach duit, agus is minic a chloisfeá ag cainnt ar a seisear 's a seachtar de ghaol é idir dhaoine. Is minic a bhíodh sé féin agus m'athair le chéile ar chúrsaí crua-Ghaeilge agus seanchais, an bhrí a bheadh le seanfhocal áirithe, an freagra a thug Eoghan Rua ar an sagart. Ach bhí léann ar an gCárthach comh maith leis an meabhraíocht a bheith ann, agus ba mhaith an té a sháródh é ins na cúraimí seo.

Bhí an mheabhair ag scaipeadh ar an bhfear bocht i ndeireadh a shaoil, áfach. Ina dhiaidh san agus uile, is maith is cuimhin liom tráthnóna geimhridh agus me taobh na tine, me féin agus é féin, gur thairg sé chuige leabhar anuas den gcúl-lochta, *Laoi Oisín ar Thír na nÓg*, agus d'oscail.

'Ar léis riamh é seo, a Phaidí?' ar seisean liom, trasna na tine.

'Do léas,' arsa me féin, 'agus tá cuid de de ghlanmheabhair agam.'

'Maith an buachaill,' a dúirt sé, 'scaoil fé go bhfeicfeam cén fhaid a raghair leis.'

Anois tá céad go leith éigin véarsa sa laoi chéanna idir Naomh Pádraig agus Oisín nuair a bhuail an bheirt acu le chéile agus Oisín ina dhonnán críonna liath fágtha ina chaonnaí dealbh tar éis na Féinne agus a théarma trí chéad blian caite aige i dTír na nÓg. Thosnaíos . . .

A Oisín uasail, a mhic an Rí
Dob fhearr gníomh gaisce agus glia,
Aithris dúinn anois gan mhairg
Conas a mhairis tar éis na bhFiann . . .

Bhíos ag faire air agus me á chur díom mar seo. Níorbh fhada dhom in aon chor go bhfeaca an leabhar á dhúnadh de réir a chéile aige. Ansan d'iaigh sé a shúile, agus do thosnaigh ag rá na

bhfocal féna fhiacla im theannta. Ní raibh ach cúpla véarsa curtha
dhíom agamsa nuair a thosnaigh sé féin . . .

Do dhúisigh linn an eilit mhaol
Dob fhearr léim, rith agus lúth;
Do bhí ár gcoin 's ár ngadhair go léir
Ag rith ina déidh fí lán-tsiúl . . .

'Tóg an leabhar san anois,' ar seisean, 'agus lean me, agus má
bhaintear aon bharrathuisle asam bí ullamh chun a bheith mar
phrapa agam.' Dheineas, agus b'sheo leis tríthi, agus a shúile dúnta
aige, 'feadh na huaire go léir. Gach aon líne den laoi ag titeam dá
bheola mar bheadh deoracha meala. Gach aon véarsa lán d'uabhar
caointeach éigin. Gach aon fhocal á thaoscadh aníos dá scairt aige,
gur dhóigh leat gur duine é a bhí tar éis teacht ar thobar na síor-
aíochta agus eagla air go raghadh sé i ndísc sara mbeadh a thart
múchta aige ann. Anois is arís do bhainfí stad as. 'Lig dom,' a
déarfadh sé. Ansan, do dhúnfadh sé a shúile thar n-ais, agus
d'fháiscfeadh an chéad véarsa eile aníos as áit éigin mar an raibh
sí i bhfolach le leathchéad blian, b'fhéidir. Bhíos fé dhraíocht aige,
agus é ag treabhadh leis tríthi, uaireanta le dua agus uaireanta eile
comh sonaoideach agus dá ba caise ceoil a bheadh á bhaint as
veidhlín aige. Uair nó dhó dob éigean dom gaoth an fhocail a
thabhairt do; ba bheag é. Anois is arís do raghadh sé amú, agus
do chaithfinn é a stiúradh thar n-ais ar an mbóthar ceart. Ach do
chríochnaigh sé an laoi dhom, gach uile cheann dá céad go leith
véarsa. Nár dhiail an mheabhair agus an cuimhne a bhronn Dia
air agus é ag déanamh isteach ar aois an phinsin ag an am!

Bhí deirfiúr do so ina cónaí thoir i Lios Póil sé mhíle éigin
lastoir de Dhaingean, mar a bhfuil a hiníon pósta le duine des na
Gearaltaigh ó Ghualán, siúinéir agus saor comh maith agus atá sa
taobh san tíre. Siún Ní Chárthaigh ab ainm di. Brianach fir, go
dtugaimís Babaí mar leasainm air, ó Cheathrú an Fhirtéaraigh i
nDún Chaoin a bhí pósta age Siún, agus do bhíodar araon agus a

muirear aistrithe soir ar an Min Aird taobh thoir de Dhaingean suas le deich mbliana fichead nuair a phós a n-iníon, Neil, Gearaltach Lios Póil, mar a thabharfaidh mé anois air.

M'athair a bhí ag eachtraí dhomhsa air seo, agus ní chuirfidh mé bréag air. An lá a bhí Neil á phósadh is istigh sa Daingean a bhí an bhainis acu. Nuair a tháinig scaipeadh orthu siar sa tráthnóna, cuid acu anso agus cuid acu ansúd ar fuaid an bhaile, do bhuail m'athair isteach i gceann des na tithe go raibh amhras aige cuid acu a bheith ann, agus, mar bheadh an nimh ar an aithne, cé bheadh istigh sa tsniug ann ach Babaí féin agus a chomhleacaí ó Dhún Chaoin aniar, Séamas Beag Ó Lúing. Do bhuail sé chúchu isteach toisc buannaíocht a bheith aige orthu gan dabht, agus cad a gheobhadh sé roimis ach an bheirt acu agus iad beirthe ar láimh ar a chéile agus iad ag briseadh a gcroí goil.

'I gcúntais Dé,' arsa m'athair leo, 'cén lógóireacht atá ar lán na beirte agaibhse, a leithéid de lá go mórmhór, nuair 'a cheart díbh a bheith ag amhrán?'

'Bú-hú,' arsa Babaí, 'cad a tháinig anuas orm in aon chor gur rugadar mo chailín breá d'iníon uam, nó cad a dhéanfaidh mé á ceal anois?'

'Nach maith an áit a bhfuil sí . . .' arsa m'athair á cheannsú, ach is maith a bhí a fhios aige ná raibh aon cheannsú ar an té atá bogtha i gceart agus cúis ghoil ag teastáilt uaidh. Leanaíodar araon orthu ag lógóireacht leo go fada bog binn, ach is é is mó a bhí ag déanamh tinnis dom athair cad a bhí ag cur Shéamais ag gol, nó an galar tógálach é nuair a bheadh an áirithe sin thiar age duine. D'fhéadfadh san a bheith i gceist, ach bhí sé in amhras de mar bhí an iomarc aithne ar Shéamas aige.

'B'fhéidir go bhfuil cúis éigin ag an bhfear eile,' a dúirt m'athair ag féachaint ar Shéamas, 'ach cén mac mallachtan atá anuas ortsa a chuir ag gol comh maith leis tu?'

Do stad Séamas, agus d'fhéach idir an dá shúil ar m'athair.

'Mo ghrása Dia, a mhaoineach,' arsa Séamas, 'canathaobh ná

beinn, agus a chúis go maith agam . . . canathaobh ná beinn . . .
ag gol . . . i ndiaidh mo dhuine muinteartha . . . mo chomharsa
agus . . . mo chomhleacaí macánta . . . agus is é a ainm é . . .
canathaobh ná beinn ag gol . . . i ndiaidh éinne dá mhiotal . . .
a dh'fhágfadh béal an dorais agam, agus imeacht leis soir thar
Daingean uam . . . agus mara mbeadh a bhfuil de Chríostaithe
im thímpeall . . . tu féin agus do leithéid eile, mar bhí an mianach
ceart riamh ionaibh, a mhaoineach . . . mara mbeadh sibh, agus
mo dhuine muinteartha bailithe uam soir i measc na ndaoine
dubha úd thoir . . . cá mbeinn in aon chor, an dóigh leat? . . .
bheinn, ná cuirfinn a chumha go deo dhíom, a mhaoineach, agus
is agatsa atá a fhios é . . .'

Nár dhiail an cuimhneamh é! Babaí ag gol toisc a iníne a bheith
imithe uaidh, agus Séamas ag gol toisc Bhabaí a bheith imithe
uaidh féin, deich mbliana fichead roimis sin, cuimhnigh air! Ach
deirimse leat go raibh a dhíntiúirí go maith age Séamas ó ollscoil
Dhún Chaoin, agus nár thógtha air bheith ag fuineadh i gcomhgar
na mine mar nach i gcónaí a bheadh iníon Bhabaí á phósadh.

D'fhág m'athair i dteannta a chéile an bheirt acu, agus chuaigh
i measc na cuideachtan i dtaobh éigin eile.

Tá na daoine ag teacht trasna ar a chéile orm sa scéal so, agus
níl aon leigheas agam air. Tá mo smaointe, ar shlí éigin, ag rith
ó dhuine go duine gan fonn lonnaithe in aon áit ar leithligh orthu.
Ach ós rud é gur thairgíos Séamas Beag chugham san eachtra so,
raghaidh mé stáir eile den mbóthar leis. Níorbh fhearra liom éinne
eile dena dtáinig trasna riamh orm a bheith im theannta tamall de
bhóthar, ar aon nós, mar is é a bhí deas ar é a chiorrú, agus dob
shin ionú ag éinne eile a tháinig ina bhóthar é. Dob é bas a dtáinig
riamh é mar fhile agus mar fhíodóir focal. Gach aon fhocal agus
é sínte ar a fhaobhar go breá mall righin ag teacht as a bhéal.
Diongbháltacht agus fuaimeant ag roinnt leis, fuinneamh agus
feallsúnacht. Do chuirfeadh sé focail as a chéile dhuit díreach mar
a thógfá amach as an mBíobla iad, nó mar bheidíst ar crochadh ar

líne ag tiormú ós comhair do shúl, gach ceann acu ar a phionna féin, agus iad fáiscthe glan aníos as uisce ionnalta na fíor-Ghaeilge aige. Ní raibh aon uair dá labhradh sé ná go raibh an fear féin le feiscint taobh thiar den gcainnt agat, é ina sheasamh ansúd agus a cheann ligthe uaidh siar aige, maig bheag air, agus é ag deimhniú a scéil i gcónaí lena cheann duit. A shuaithinseacht cainnte agus foghraíochta féin aige, a chaolaíodh suas cuid mhaith dhes na consain a bhíodh leathan ag an gcuid eile againn; suaithinseacht dá chuid féin ar fad ná féadfaí a chur síos ar aon pháipéar agus do dhícheall a dhéanamh.

Bhí féith filíochta ann, agus ba bheag an nath aige, dá ba dhóigh leis go raibh aon bhlas agat uirthi, í a scaoileadh chughat anois agus arís; í a chaitheamh idir an dá shúil ort, a mheasas a rá, mar sin é a dheineadh sé nuair ná beadh aon tsúil agat leis. Buachaill bán éigin a ghaibh an bóthar lá, stróinséir, agus sa chainnt do le Séamaisín d'fhiafraigh sé dhe, pé cuma a tháinig sé anuas, cén muirear a bhí air. Beit ab ainm do bhean Shéamais, agus thugtaí an Sáirsint mar leasainm ar an mac ba shine a bhí aige. Cúpla a bhí acu ina dhiaidh san, agus ansan an rud beag a bhí sa chliabhán acu ná raibh ach saolaithe le cúpla mí. N'fheadarsa ar thaitnigh an cheist le Séamas nó nár thaitnigh, ach is mar seo a dh'fhreagair sé mo dhuine . . .

Tá 'gam Sáirsint,
Monk agus Bráthair,
Leanbh ráithe,
'S Beit mar mháthair,
Agus me féin athair na ngárlach.

Ba mhaith é, agus é a theacht amach as a mheabhair chinn ar an spota san. Ach ní bheadh aon ionadh orm dá b'é neamheontaíocht an fhir eile a thairg an corc as, mar ní gnáthach le duine dul in iontaoibh na filíochta gan a chúis a bheith aige.

Iomard a bhí ar Shéamas bocht, agus ní há chasadh leis é, go raibh ana-chion ar an bhfeoil aige, agus mar a dúrt cheana anso níorbh é galar éinne amháin thiar é. Iad a bheith riamh ar an gcaol-chuid di, ní foláir, ba bhun leis seo, ach iad formhór na bliana i dtaobh leis an scadán nó leis an maircréal buí leagtha i lár an bhoird i measc na bprátaí, gach éinne agus a lámh féin aige iontu. An t-uisce a bheadh á mbeiriú tógtha aníos as an scilléad ina dteannta ar an bpláta, agus nuair a bheadh do phráta scamhaite agat i gcónaí é a thomadh san uisce sara n-íosfá é. Ciota bainne géir ina dteannta san agat tar éis an uachtair a bheith bainte ar an mbeiste le scimín de, agus b'shin é do chuid. Bia folláin ach bia go bhfaighfeá cortha dhe. Ní bheadh aon fhaoiseamh agat, puinn, ón mbia so go dtí go dtiocfadh breac úr dhon tigh le linn an tséasúir, ballach nó pollóg a mharófaí ón gcloich nó deargán a bhcadh tar éis teacht isteach ón gCúrán nó ó thaobh Bheiginis! B'shin uile a mbíodh de nua-íocht acu de ghnáth, ach an slaimice feola a thiocfadh ón nDaingean pé lá a bhídíst ann nó go marófaí caora i gcomhair na Nollag.

Ach, ar nós a lán nach é, bhí dúil an duine mhairbh age Séamas sa bhlúire feola, agus i sólaistí eile comh maith. Is minic a deireadh sé i dtaobh an ime féin, cuirim i gcás, nárbh aon mhaitheas arán tur. 'Ní lú liom an sioc, a mhaoineach, arán a chur ós mo chomhair gan airde léim giorria d'im a bheith air, sa tslí 's go gcífeá rian t'fhiacla ann nuair a dh'fhéachfá thar n-ais air tar éis do mhannta a bhaint as.'

Bhí Séamas lá sa Daingean mar seo, é féin agus fear eile ó Dhún Chaoin. Ag druideam isteach le ceann an Ché, dúirt Séamas lem dhuine go raibh cúram éigin go dtí an ndochtúir aige, agus ná beadh sé abhfad. Bhí sé tar éis lár an lae go maith agus ocras a ndóthain ar an mbeirt, cumá ná beadh, agus gan aon ní ite ó ádh-mhaidean acu. B'fhada leis an bhfear amuigh a bhí Séamas ag teacht chuige, fear na fionnraí gan dabht, agus fé dheireadh thiar thall nuair a chuir Séamas a cheann thar doras, 'Cad a choinnigh tu?' ar seisean leis.

'A leithéid seo,' a dúirt Séamas. 'Ag ithe a dhinnéir a bhí an fear istigh, agus do chuir an fear maith im shuí me go dtí go raibh a chuid caite aige féin. Agus, a Uain Dé, a mhaoineach, dá gcífeása an radharc ar fheoil a bhí ar an bpláta san. Is é mar bhí,' a dúirt sé, 'in ionad na feola a bheith mar annlann leis na prátaí aige gurb ean a bhí na prátaí mar annlann leis an bhfeoil aige.'

D'imíodar araon orthu an tsráid amach, agus tar éis a sceolmhach a fhliuchadh, bhí cúpla pí ar thistiún an ceann acu. Más ea, b'shin é a gcuid nó gur bhaineadar an tigh amach tráthnóna thiar, cé go mbeadh leathchloch de choirce lom ite ag an gcapall a thug siar 's aniar iad, rud nár dhearúdadar riamh pé ní 's mar dhéanfadh a bputóga féin.

XII

Nuair a théann duine siar ar a bheatha féin nach breá gurb ar dhaoine is mó a ritheann a smaointe. Na rudaí beaga a dh'imeodh ort ó lá go lá, na barrathuislí a bhainfí asat 'feadh na slí, an ghíotáil oibre a bheadh le déanamh agat chun do lae a chur isteach, ní dh'fhanann smut dá gcuimhne sin id cheann. Fanann an paiste bligeardaíochta nó toirmisc go soiléir san aigne. Fanann an lá gur chuais i ndainnséar do mharaithe. Maireann pictiúir na mná óige gur thugais oícheanta fada fuara fé scailp an ghleanna féna seál ina teannta, idir neamh is talamh.

Ach na daoine a bhí id thímpeall, is criathar gan tóin a scaoilfeadh a gcuimhne tríd. Agus pé síbhialtacht agus cultúr a dh'fhág na daoine seo le huacht agat, ní leat féin ná le haon ghlúin ar leithligh é; níl ag éinne ach a iasacht lena mharthain féin, agus é de gheasa droma draíochta air é do roinnt leis an nglúin atá ag teacht ina dhiaidh féin, nó neach cé acu, lúb ar lár a bheith sa tslabhra.

Is lúb sa tslabhra san, comh maith, ní hamháin an goblach a thabharfaí le n-ithe dhuit ach an ghidineáil ab éigean duit a dhéanamh chun an ghoblaigh sin a thuilleamh. Mar ní hiascach agus snámh agus bóithreoireacht ar fad a bhí againne ach oiread le cách nuair a bhíomair ag éirí suas, agus ná tuigeadh éinne óm scéalsa gurb ea. Bhí ár gcantam de so agus de súd againn.

Ní hé a mheasaim a rá go raibh an saol ag breith róchruaidh orainne sa Dún mar seo, mar do bhí saoráid againn ann ná raibh ar ghabháltaisí eile sa Chom. Bhí fairsinge talún againn ann agus é go léir i dteannta a chéile, féar dhá bhó dhéag, ach go bhféadfadh suas lena fiche a bheith agat ann dá ba mhaith leat é. Ach ní fheacas-sa riamh age m'athair ann ach seacht nó hocht de bha, agus stoc seasc, féaránaigh, agus gan ach an chaolchuid den gcuireadóireacht, oiread díreach agus a dhéanfadh a chúram féin. Bhí an Dún féin lasmuigh fé chaoire aige agus is orthu san is mó a bhíodh a sheasamh—do chothódh so féin é gan bacaint le haon sclábhaíocht eile, ach gur náire leis, is dócha, a bheith ródhíomhaoin mar ná hoireann sé dh'éinne a bheith amhlaidh.

Do bhí saoráid eile ag roinnt leis an nDún, leis, go raibh riar ár gcáis féin de mhóin ar an dtalamh againn, stuaicín admhaím, ach ba ghairid Dia dhuit agat í nuair a chífeá an bráca a bhíodh ar dhaoine eile d'iarraidh abhar tine a sholáthar dóibh féin ó bharra Shliabh an Fhiolair. Ní hé airde an chnoic in aon chor, cé nach aon mhaolchnoc mar sin é, ach é a bheith comh géar san ó thaobh an Choma dhe, agus an callshaoth go léir a lean é d'iarraidh na móna bhreith abhaile as. Bhainimísne féin ar an gcnoc so í cé nár ghá dhuinn é, ach gur móin dhubh í agus an buancas agus an ceol a bheith inti seachas a bheith ag broic leis an spairt a bheadh tar éis drochbhliana agat nuair a bheifeá i dtaobh leis an stuaicín.

Ina meithealacha ar an seanashlí a bhainidíst an mhóin dhubh so, meitheal agamsa inniu agus meitheal agatsa amáireach, faid a sheasódh an aimsir. Nuair a bheadh cos mhóna bainte agus leata agat, ansan teacht agus í a dh'iompú, obair do ghadsaidí mar sinne tar éis na scoile. Nuair a bheadh aon screamh chóir uirthi, í a chnuchairt, obair do mhná agus do ghramaisc na scoile le chéile. Seachtain nó coicíos i gcnuchairí ar an slí seo de réir na haimsire a bheadh ann, agus ansan í a dhéanamh suas ina stuallainní; seanduine an tí go minic á dhéanamh so agus sinne ag teannadh na móna leis. Bheadh scarbháil mhaith ar mhóin sara stuallálfaí í, agus ní fada ansan a bheadh sí ag teacht chughat nuair a bheadh gaoth agus grian ag gabháil tríthi.

Nuair a gheobhaimísne laethanta saoire an tsamhraidh, dob é ár gcúram dul agus í a thabhairt abhaile, agus geallaim dhuit gurbh shin í an obair nár thaitnigh linn. Do bhíodh doicheall ag an asal bocht féin roimis an obair seo, mar is minic a bhí rúmpa tinn ón dtiarach aige, mar is le húmacha a chaithimís dul ag triall uirthi.

Do bheadh síob ar an asal go barra an Choma agat, gan dabht, ach dá olcas tu ní ligfeadh an scrupall duit fanacht ar a dhroim as san suas. Cosnochtaithe a bhímís féin leis an obair seo, mar comh luath agus bhreacadh Lá Bealtaine bhímíst á fhéachaint le chéile cé hé is túisce go mbeadh a bhróga caite dhe aige; agus nuair a chacann gé cacann siad go léir, i gcead don gcuideachtain. Plaincéadaí an bhóthair agus barraíocha na gclaitheach as san amach á thógaint againn le heagla roimis an ndoigh talún, rud a bhuaileadh go minic sinn, Dia linn, agus a dh'fhágadh bacach go maith sinn tamall.

. . Ach ag dul ag triall ar an móin ní raibh aon tseans agat, mar na cosáin a bhí ann, ní rabhadar oiriúnach don asal féin go minic, lán de chlocha reatha agus den ainnise, agus gurbh é a dhícheall a bhonn a choinneáilt orthu uaireanta. Níorbh aon áit na cosáin seo don leanbh cosnochtaithe, sa tslí 's go mbíodh an t-asal ag paidhceáil leis i gcoinne an aird suas ar a chosán féin agus tusa lasmuigh agus gach aon phocléim trí aiteann agus trí fhraoch agat d'iarraidh coinneáil suas leis. Ansan nuair a bheadh asal eile id choinne anuas, do chaithfeá an cosán a thabhairt do san, gan dabht, toisc an ualaigh a bheith air. Tranglam agus tarrac tríd ab ea an cúram so ar fad. Ní raibh aon réiteach air ach mar a dheinimís go minic: sinn go léir a dh'imeacht i dteannta chéile, agus a bheith abhaile i bhfochair a chéile thar n-ais. Bhíodh an cosán fúinn féin ó thosach deireadh ar an gcuma so, agus an chuideachta againn comh maith.

Bhí budóga maithe ban ar an mbaile an uair úd leis, ambaic, agus dob obair í seo go gcaithfidís luí isteach léi nuair a thagadh an t-am. Bhí baol mór orthu, geallaim dhuit, láracha ban agus iad scamhaite chun oibre agus teaspach dearg orthu tar éis cuid mhaith dhen ngeimhreadh a bheith caite agus a ngabhal le tine acu. Cuid eile acu agus gan fear feicthe le breis is ráithe acu, b'fhéidir, agus gan uathu ach 'iarraim cúis' chun imeacht chun cnoic agus a bheith tamall de lá ina dtreo. Faid a bheadh an t-ionú ann a bheith i dtreo an éisc, nó déanamh á uireasa, is maith a bhí eolas a gceacht acu;

na stailteacha ag imeacht ag faoibín lastuas i measc na fraoighe agus iad féin a bheith caite i gcúinne na luaithe, ní raibh aon dealramh leis, ná an riach é. An áit ar a gcaothúlacht go maith acu ar na gualainní lastuas abhfad ó radharc na dtithe, agus cead oilc agus mhaitheasa acu mar ab áil leo féin. Na cailleacha laistíos agus gan aon fhocal astu, ach iad leathmharbh ag an gciúnas go léir a bhí ina dtímpeall. A fhios acu go maith gur thuas a bhí aon ní gurbh fhiú trácht air, agus é go léir ag imeacht gan fhios dóibh.

Éiríonn bean acu so amach ar lic an dorais agus í ag tiormú an allais dá cnis lena haprún garbh. Ní túisce amuigh í ná an bhean thall ar a sálaibh ar lic a dorais féin, agus go dtuigfí dhuit ar fhéachaint orthu araon ná raibh aon choinne age bean acu leis an mbean eile. Iad ag tarrac anáile, mar dhe, ón mbráca a bhí beirthe ó mhaidean orthu. Beirt acu marbh ag an saol agus ag an aimsir, ach nach é sin is mó a bhí ag teacht leo in aon chor ach tobar an tsuainseáin a bheith ag dul i ndísc orthu agus gan aon ní acu a dh'fhliuchadh a mbéal dóibh. Tá na hasail féna gcuid úmacha ag gabháil thar doras acu agus cuid acu ag iompú i gcoinne an aird cheana féin.

Tá Bríde Bhán ag déanamh orthu lena hasal féin agus í ar scaradh gabhal air laistiar des na húmacha; Bríde, an seibinneach mná ba bhreátha istigh ar an mbaile nó sna cheithre pharóiste mórdtímpeall dá ndéarfainn é. Níorbh aon alpachán í pé ní 's mar dhéanfadh cuid eile acu a bhí leata anuas ar an dtalamh, ach bean cruaidh fáiscthe, faghairt agus miotal inti, agus í lán dá fiantas féin. Agus, a ndúirt siúd, 'gan aon mhíniú uirthi ach fear.' Bhí sí luathbhéalach leis, rud a bhí uathu so.

'Sea, a Bhríde, déanfaidh sé ana-lá fén gcnoc inniu agaibh,' a déarfadh bean acu léi.

'Maran le brothall a rithfidh na hasail orainn,' agus an dá bhrí leis an gcarúl age Bríde, gan dabht. Mar fé mar bheadh 'bád' mar ainm ar bhean i measc na bhfear is minic gurb 'asal' a bheadh ar fhear i measc na mban. Agus ós ag tagairt don gcainnt seo in aon chor é, nuair a thagadh an séasúr ar na hasail againne isteach sa Bhealtaine, is cuma cad a dhéanfá leo, ná cén ceangal a chuirfeá orthu, bhíodar bailithe uait soir isteach ar an Móinteán i nDún Chaoin mar a raibh tarrac ar láracha acu san am san. B'shin é an 'rith le brothall' a bhí i gceist age Bríde agus í ag cainnt.

'Age Dia athása, cad a dhéanfadh sibh dá b'é galar asal an Oileáin a bheadh oraibh.' a déarfadh bean an dorais, d'iarraidh moille a chur ar Bhríde agus ag baint chainnte aisti. Asail bhaineanna ar fad a bhíodh san Oileán acu, mar ná raibh aon chúram don stail acu ann toisc na háite a bheith comh dainnséarach. Agus má bheadh an ceann fireann acu in aon chor ann do chaithfeadh sé a bheith ina chaidiún.

'Más ea,' a déarfadh Bríde, thar n-ais, 'ar mh'anam gur acu atá an suaimhneas.'

Is maith a bhí a fhios ag an mbeirt úd ná féadfaidís puinn ceart a bhaint de Bhríde sa chadráil chainnte seo mar go raibh a díntiúirí go maith aici. D'imigh sí uathu agus gach aon scartadh gáire aici, mar dhe, 'Bíodh an méid sin agaibh mar is é athá thuillte agaibh.' Ba chuma leis na cailleacha leis, is dócha, ach an méid sin a bhaint aisti. Agus ar aon nós, b'fhearr aon ní ná an t-uaigneas agus an tobar díscthe, go mórmhór agus abhar suainseáin agus caibidil comh gairid sin don ndoras acu. Ach geallaimse dhuit, pé ní 's mar dhéanfadh na fearaibh agus na mná tar éis an bhráca so ar an gcnoc, gur beag fonn bóthair a bhíodh ar na hasail bhochta, go ceann tamaill ach go háirithe.

Dob shin í an mhóin agus an gleithreán a lean í, agus bheadh suaimhneas ages na cnámha bochta go ceann tamaill, rud ná raibh acu ó gheal Lá 'le Bríde orthu fadó i mbliana. Ansan a thosnaíodh an fuirse i gceart sa Chom i gcónaí comh fada le hobair na talún de. Dob í an tráigh as san amach acu í, gach éinne agus a phíce aige ag friotháilt ar na taoidí a sheolfadh an fheamnach chúchu le cur mar leasú ar na prátaí. Agus ní maith an teist a bhí uirthi mar earra, tar éis an tsaoil. Ní dóigh liom go dtáinig aon phráta riamh as an bhfeamnaigh chéanna ach práta ná raibh oiriúnach dos na muca le n-ithe. Ach nuair ná beadh do dhóthain aoiligh agat cad a dhéanfá?

Bhíodh daoine moch déanach amuigh i ndiaidh na feamnaí céanna agus iad go dtí n-a n-imleacán in uisce go minic lena racaí agus lena bpící, agus í ag teacht dubh agus buí orthu trí chéile, ba chuma leo cé acu. Do bhíodh daoine eile ann, agus mo mhuintir féin ar chuid acu, agus dob fhearr leo go mór na hiascáin mar leasú ná í. Ach do bhí tarrac ar iascáin againne, gan dabht, sa Dún. Níor ghá dhuinn dul thar Charraig na Pairte thíos, do bhí dóthain aon bhaile d'iascáin le fáil ansúd againn. Le scriosaire a chaithfeá na hiascáin seo a bhaint—seanashluasad go mbeadh a rás rite aici, smut den dá chluais bainte dhi agus béal díreach gearrtha trasna inti. Ina scraitheacha a dh'fhásann na hiascáin bheaga so—mar ní hiad na hiascáin mhóra atá i gceist againn, ní dóigh liom go raibh a leithéidí sin siar in aon chor—agus ní raibh agat nuair a raghfá síos ach teacht ina n-imeall led scriosaire agus a bheith á leagadh leat díreach mar bheifeá ag glanadh ghruaite le ramhainn. Cliabh age fear eile ansan agus iad á líonadh isteach aige inti le tabhairt ar barra agus iad a dh'fhágaint ina gclais i lúib an bhóthair ag fanacht leis na hasail chun iad a chur dhon ghort le húmacha.

Dob shin é ár gcúramna tar éis scoile i gcónaí, na hasail a ghabháilt agus na hiascáin a bheadh curtha aníos ag an seana-dhream a tharrac. Do chuirtí úmacha ar na capaill uaireanta mar seo leis nuair a bheadh an obair róthrom don asal, agus ní haon tsop dhá úim lán d'iascáin fhliucha i ndrom aon ainmhí. Rud eile a bhí air, ní bhíodh aon spáráilt ar an gcapall acu an dtacaid seo dhe bhliain toisc é a bheith ar stábla 'feadh an gheimhridh agus é lán de theaspach ag an gcothú agus ag an ndíomhaointeas sa tslí 's nuair a thabharfá chun uisce é go mbeadh seans leat maran rithfeadh sé leat ag teacht abhaile. Agus is minic a rith. Ach ní ligfí i ndiaidh aon chapaill tu an t-am san de bhliain gan tu a bheith chun coinnlíochta go maith agus seiftiúlacht ionat chun é

a shmachtú má bhéarfadh ort. Is cuimhin liom gur chuireas féin
trí hualaí déag ar fhichid, idir aoileach buaile agus iascáin, suas
dhon Tuar ós cionn an tí aon lá amháin idir eadartha agus chon-
tráth; más ea, ní mór an fonn rith a bhí orm féin ná ar an gcapall
tar éis ár lae, geallaim dhuit.

Talamh báin is mó a bhíodh fé phrátaí sa Chom againn. Chonac
féin á riastáil le ramhainn acu é, cé gurb é an céachta is mó a
dheineadh an obair seo ina dhiaidh san. Dorú sínte suas le grua
gach aon iomaire acu nuair a bheidíst á riastáil ar eagla ná beadh
an boirbín cruinn díreach i gceart acu—bhí an seanadhream marbh
ag an slacht mar seo.

Trínseáil a thugaimíst ar an gcur so. Ach bhí cur eile acu ann
leis go dtugtaí an t-iompó air, cé go ndéanfaí é seo i gcoinnleach
nó i mbán. Níor shanntaíodar an druill riamh ná níor thaithíodar,
ach chun tornapaí nó meangalsaí a chur inti. Cheithre cinn d'fhóid
iompaithe isteach i gcoinne a chéile, dob shin í an iomaire san iom-
pó. Ansan teacht le t'iorlach lán de scioltáin agus seanaramhann
réchaite chun na bpoll a dhéanamh ins na fóid duit; dorn scioltán
sa láimh dheis agat agus an lámh chlé ag ionnramháil na ramhainne
dhuit, agus tu ag sáthadh na scioltán leat ar dalladh á gcrústach
síos sa pholl a bheadh déanta ag an ramhainn i gcónaí.

Ba shaoráidí go mór an obair seo ná an trínseáil, mar nuair a
bhí deireadh sáite agat bhí cúram na hoibre dhíot go dtí go mbeadh
an athchré le cur suas agat. Ach sa trínseáil do bhí caolfhóid le
baint agat agus claiseacha le rómhar, scioltáin le leathadh—fear á
dhéanamh so agus fear eile ag taoscadh ina dhiaidh san áit go
mbeadh an chabhair.

Dob é ár gcúramna, gramaisc na scoile, an leathadh so, agus cé
gur gheal linn an lá a choinneofaí istigh ó scoil sinn ní róbhuíoch
a bheimís dá mbeadh a fhios againn gurb í an obair seo a bhí
rómhainn. Ní raibh ach dhá chúram eile ar an bhfeirm ba mheasa
liom féin riamh ná í seo, is iad san chnuchairt na móna agus
ceangal an choirce. Nár lige Dia dhom an dá chúram chéanna, is

minic a scóladar an croí ionam. Ach is ag tagairt do leathadh na scioltán atáim. Ní bheadh an seanadhream sásta in aon chor an uair úd gan an dá scioltán lasmuigh a chur fés na taobhfhóid. Dob shin é a dhein obair sclábhúil den obair seo. Maidean sheaca, b'fhéidir, agus tu d'iarraidh na gcaolfhód a dh'ardach led mhéireanna beaga agus barraliobar leis an bhfuacht ód dhá uilinn síos ort. Fuirse agus greitheall ort ina theannta san d'iarraidh scioltán a choimeád leata don té a bheadh ar an sluasaid, dícheall éinne, deirimse leat, nuair a bheadh taobhfhóid le hionnramháil agat, agus fuarnimh ins gach aon bhall ded chorp. Níor mhór dhuit mianach an tsacáin a bheith ionat chun é seo a sheasamh.

Aimsir na bprátaí a chur aon bhliain amháin mar seo is ea a chaill m'athair a shúil, slán mo chomhartha. Fuacht éigin is dócha a bhuail é, cé nach é sin a dúirt Bríde Gleastar ná cuid mhaith eile de mhná an Choma ach gurb ean a coiríodh nó a milleadh é. Nós ab ea é seo, go mórmhór ages na seanamhná so, má bhuailfeadh aon tinneas nó iomard as an gcoitiantacht duine gurb í an tsúil choirithe a chaithfí a chur síos leis, nó neach cé acu, na púcaí. Leanbh an chliabháin féin, dá dtiocfadh aon ní air agus ná tiocfadh sé as i gceart, dob iad na púcaí a sciob é agus iarlais fágtha ina ionad acu. Ní fhéadfaí aon éisilinne a lua leis an nduine féin, ach gurb ean a deineadh éagóir nó ganasaíocht éigin eile air a leag é —iarsmaí de sheanadhlí éigin a théann abhfad siar, ní foláir.

Bean leighis ab ea Bríde ar an mbaile go mbíodh artha dho so agus artha dho súd aici; bhíodh uisce na ruaidhe aici agus leigheas don araisipil, agus bean chabhartha ab ea í aon lá ná féadfaí greim a dh'fháil ar Cháit Ruiséal an Mhuilinn, mar dob shin í bas orthu ar fad ins na cúraimí seo. Ach go háirithe, nuair a buaileadh síos m'athair leis an súil do chuir Bríde agus Máire a gceann le chéile, agus dúradar, ambaist, gur ó gheata na Páirce anoir an oíche roimis sin agus é ag teacht abhaile tar éis na mba a bheith seolta aige a buaileadh poc air. Dheineadar céirín éigin suas eatarthu, agus dúradar a n-artha ós a chionn, agus an riach do ná go raibh a shúil ag

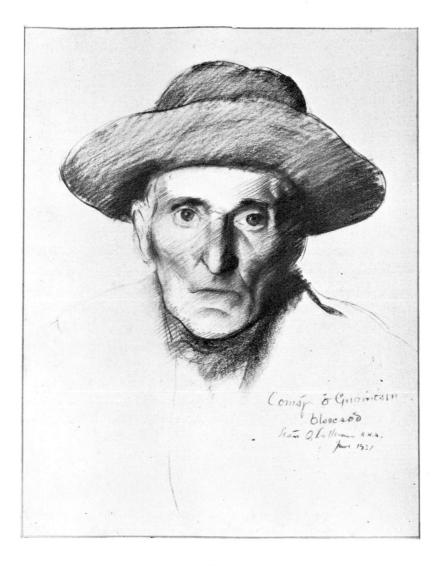

TOMÁS Ó CRIOTHAIN
le Seán Ó Súileabháin, R.H.A.

[An Dún Mór ó Cheann Sléibhe, agus
tráigh an Choma scamhaite amach

feabhsú ón scamall a bhí tar éis teacht uirthi. Bhí léas éigin ag teacht thar n-ais inti de réir a chéile leis an gcéirín a dh'ullmhaíodar do, agus do bhí sé ag foighneamh leis agus ag cur an lae dhe. Más ea, ní le neart a chreidimh i ngeáitsíocht so na mban é, cé gur minic a déarfaí leat nárbh aon mhaith a leithéid seo dhuit ar gan aon mhuinín a bheith agat as ná as an té a bheadh ag friotháilt ort. Bhí m'athair á leigheas dá ainneoin acu, mar sin, níor chás dhuit a rá.

Fé dheireadh do bhí sé ag gabháil amach do féin, agus pé gidineáil a bhí ar siúl aige, cad déarfá leis ná gur buaileadh an tarna poc air. Buille millteach, Dia linn, ab ea an ceann so agus ceann nár tháinig sé uaidh. Do chaill sé an tsúil an babhta so agus dob éigean do dul go Corcaigh chun í a thógaint as a cheann.

, Is faid a bhí sé i gCorcaigh mar seo a tháinig Domhnall Cháit Bhilí in aimsir chughainne, agus é curtha mar chúram air na prátaí a bheith curtha aige sara mbeadh m'athair thar n-ais. Fear ab ea Domhnall go raibh an saol lasmuigh feicthe aige mar do bhí sé sa chéad chogadh ag saighdiúireacht do Shasana, ar nós a lán nach é gur gealladh na huirc is na hairc dóibh féin agus dá dtír ag an am. Nuair a tháinig Domhnall abhaile ós na dúthaí thar lear is é a bhíodh ag druilleáil na 'mbuachaillí' age baile. Tá sé seo ar an gcuimhne is sia siar im cheann; ní rabhas ach sé mbliana d'aois ag an am san. Ach, dar ndóigh, nach é Domhnall agus Domhnaill eile na tíre a dhein an obair seo go léir do bhuachaillí eile na dúthaí; mara mbeadh iad agus a leithéidí cá mbeidíst?

Do bhí cuma an tsaighdiúra ar Dhomhnall, anuas go dtí an dá hannla muisteaise a bhí siar 'dtí n-a dhá chluais air, smuirt is brí agus fuinneamh ann, agus faghairt ina shúil. Sclábhaí slachtmhar ab ea é ar an gcuma chéanna agus é mustarach as a chuid oibre ar nós gach aon tsaothraí mhaith. Nuair a bhíodh taoscadh an lae déanta aige gach aon tráthnóna agus bia an tráthnóna caite aige, síos ar bharra na trá a thugadh sé a aghaidh, agus do chuireadh sé a dhrom le claí ansúd ag féachaint uaidh suas ar shaothar an lae.

H

'An riach, a Phaidí,' a deireadh sé, 'nach diail an deargadh atá déanta ó mhaidean againn.'

'Huh,' a deirinn féin, mar nár chás liomsa áit a mbeadh an Tuar agus a raibh de chré dhearg agus de phrátaí ann ná Bolg Liúrach ó dheas agus taoide atha rabharta á dtiomáint agus á dtuargaint roimis, bhí mo chroí comh scólta san acu fén am so.

'N'fheadar an bhfuil aon fhear sa pharóiste a choimeádfadh cré suas liom,' a deireadh sé arís. Níor ghá dhomhsa aon fhreagra a thabhairt air, mar is ag cainnt leis féin a bhíodh sé leath na haimsire, agus gan puinn suim agam san allagar ar aon nós. Mar, dá mbeadh an scamhadh iongan air a bhí ormsa tar éis na scioltán, ar mh'anam go mb'fhéidir ná beadh sé leath comh toirtéiseach san.

Ceann des na tráthnóintí seo agus é ag cur as, cé gheobhadh an treo ach Seán Ó Mainnín.

'Ní haon náire dhíbh an chlais úd thuas ar a díríocht,' arsa Seán, á thástáil, agus a bholgshúil iompaithe aige mar bheadh asal bradach a bheadh meáite ar chlaí teorann a léimeadh agus go mbeadh éinne ag faire air.

Anois, fear laochais ab ea Domhnall, agus ní maith an sciath chosanta an laochas nuair a bheifeá istigh le lúbaire de mhiotal an Mhainnínigh. Ach níorbh aon phríntíseach Domhnall ach oiread, agus a raibh den tsaol feicthe aige; is maith a bhí a fhios aige dá réiteodh sé le Seán ná fágfadh seisean aon easpa córach air go dtí go bhfaigheadh sé imithe le sruth i gceart é agus gan maide ná seol aige ansan a thabharfadh i dtír thar n-ais é.

'Más ea,' a dúirt Domhnall, 'is é fear na riastála an fear, agus ní hé an té a tháinig ina dhiaidh nár dhein aon ní ach é a leanúint.'

Níorbh é seo an freagra a bhí ó Sheán, agus, bhí a rian air, níor lig air gur chualaidh é.

'Má tá gruaite comh slachtmhar leo ar an dtaobh so dhe Thráigh Lí,' arsa Seán, 'is gan fhios domhsa athá siad ann.'

Do bhraith Domhnall an ghaoth ag breith ar a sheol, agus, má bhraith, is ag ainnliú ina coinne a bhí sé. Bhí talamh salach las-

muigh dhe agus branndaí a scamhfadh air mara ndéanfadh sé a
ainnliú i gceart, agus is é thuig an scéal go maith cé go mb'fhéidir
ná cuirfeá féna thuairim é.

'Déarfá gur dheacair d'éinne gruaite a dh'fheiscint comh fada
so ó bhaile, gan radharc na muice lá gaoithe a bheith aige,' a dúirt
Domhnall, go neamhchúiseach, mar dhe. Bhí Domhnall ag bor-
dáil go maith, agus is maith a bhraith Seán go raibh, agus gurb é
a bhí deas air. 'An ndéarfá liom cén t-am é,' arsa Domhnall arís
tar éis aga bheag.

B'shin ar bheag do. Ní haon asachán a bhí caite le Seán aige i
dtaobh a ghiorra radhairce ná mar sin, ach an scéal a bheith iom-
paithe thar n-ais aige air, agus é tagtha i dtír air dá fheabhas é.
N'fheaca riamh Seán sáraithe mar do bhí sé an tráthnóna san, ach
is é féin a thairg air é, agus an té a dheineann a leithéid ní dócha
gurb é a mhalairt a bhíonn tuillte aige. Mar sin féin, do bhí sórt
trua agam féin do ar shlí eile nuair a chonac ag imeacht uainn é
agus a eireaball trína dhá chois ag an ainniseoir bocht.

⟋ Lá arna mháireach do bhíos féin agus Domhnall le chéile arís,
é siúd ar a shluasaid agus mise ag leathadh dho. Maidean sheaca
ab ea í, agus anois agus arís dob é mo dhícheallsa na boirbíní a
bhogadh chun na scioltán a chur fúthu isteach. 'Cuimhnigh ar
bhean, a dhiabhail,' a bhéiceadh mo dhuine orm. 'Cuimhnigh ar
bhean, agus bogfaidh tú aon ní.' Ach ní raibh an dosaen cnagtha
agamsa fós, agus ní rabhas in aois go dtuigfinn feallsúnacht na
cainnte. Inniu a thuigim í sin, ach me a bheith imithe thar aois chun í
a dhul i bhfeidhm orm anois. Bíonn a lá féin ar gach aon ní, is dócha.

Bhí an clabhsúr curtha ar na prátaí go maith againn san am is
go raibh m'athair tagtha thar n-ais ó Chorcaigh agus suaimhneas
fachta óna iomard aige fé dheireadh. Ach ba mhór an ní leis gan
an méid seo branair a bheith ag feitheamh leis; más ea, bíodh a
bhuíochas san ar Dhomhnall aige, sclábhaí comh maith agus a
bheir ar shluasaid sa Dún riamh ach nach fada a bheadh ag broic
leis an bhfuairthé mar nárbh é a mhianach féin é.

XIII

LABHRAS CHEANA tamall siar anso ar na 'Laethanta Breátha,' mar a thugaimíst orthu, a bhíodh ag teacht dhon Chom chughainn sa tsamhradh ag foghlaim na Gaeilge agus ag cur aithne ar na daoine. Cuairteoirí aonlae ab ea iad so, mar a dúrt, a thugadh geábh ar maidin agus a bhíodh imithe arís tráthnóna. Ach do bhí daoine eile bunoscionn leo so ag déanamh orainn leis, daoine a thugadh coicíos nó mí, nó, b'fhéidir, cúpla mí inár bhfochair, agus iad ag cur fúthu ar lóistín i dtithe na ndaoine. Is í an Ghaeilge a thugadh na daoine seo dhon áit comh maith, agus is maith blasta mar a thugadh cuid acu leo í. Gaeilge ar a son féin a bhí uathu agus ní labharfaidís leat ach í, rud a dh'fhág meas orthu féin agus ar an dteangain san áit. Is le saolú Chonnradh na Gaeilge a thosnaíodar so ag teacht ar dtúis, agus dob shidé an chéad chomhartha a chonaiceamairne go raibh aon mheas ag éinne uirthi. Dob é an chéad léas amach as an ndoircheacht é do dhaoine bochta ná raibh aon taithí ar an solas acu. Rud ab ea é a thug ardú meanman duinn, agus a mhúscail ár meas ar an oidhreacht uasal a bhí fágtha againn. Do bhí an dúthracht agus an sprid a shíolraigh as so in airde láin agus mise im shlataire ag dul ar scoil ann.

Do bhí dream eile daoine a thagadh inár measc comh maith leo so, ollúin agus boic mhóra eile ó chéin agus ó chomhgar; ach is é a mhalairt a thugadh iad súd ann. Ní hé taoide rabharta na hathbheochana a chuir iad so chughainn, ar shlí—b'fhéidir eile gurb é —ach is é is mó a thug ann iad cúrsaí teangeolaíochta agus béaloideasa. Ní har oilithreacht a thánadar san ann, ach ar chúrsa staidéir, Marie Sjoestedt, Kenneth Jackson, Robin Flower agus Karl Marstrander, agus a leithéidí eile. Ina dhiaidh san agus uile, do thánadar so isteach comh mór san ar shlí agus ar mheon na ndaoine nuair a fuaireadar greim ceart ar an gcanúint gur thiteadar i ngrá leis an áit agus leis na daoine, agus go bhfillidíst ann bliain i ndiaidh a chéile tar éis a gcúraim a bheith críochnaithe acu ann. Marie Sjoestedt bhocht féin, go dtugaimís Máire Franncach uirthi, agus gur dh'imigh droch-íde uirthi blianta ina dhiaidh san i bPáras, do scríbh sise dhá leabhar ar fhoghraíocht agus ar dheilbh na canúna so againne. (Ní maith liom an focal 'deilbhíocht' atá in úsáid inniu air seo, toisc ár mbrí féin a bheith againne le 'deilbhíocht'; an saol a bheith ag dul chun deilbhíochta, a deirimíd, leis an saol a bheith ag dul in olcas—is ón bhfocal 'dealbh' a thagann sé.) Do scríbh sí an dá leabhar so i gcomhar le Seán a' Chóta—Seán Óg Mac Murchadha Caomhánach, mar a thugadh sé féin air féin, teideal ardnósach a bhí ag gabháil le sprid na haimsire, agus a dhá oiread tuillte aige mar shaothraí náisiúnta agus mar scoláire Gaeilge, ach nach de shliocht na gCaomhánach é, rud a dhein ainm cúl le cine dhe, mar ná fuil a leithéidí ann ach Cíobhánaigh ar fad. Is i bhFrainncis atá an dá leabhar so scríte, agus is é an trua go deo san. Bean ab ea Máire a bhí álainn ina pearsain agus uasal ina méin, agus do thug gach éinne gean di.

Is cuimhin liom an chéad lá riamh a cuireadh Jackson in aithne dhi istigh i dtigh an Phrincess, iníon Rí an Oileáin, lá éigin. Ansan a bhí sí ag cur fúithi i mBaile an Teampaill i nDún Chaoin, lámh leis an sáipéal, díreach. Bhí Jackson tar éis seacht seachtaine fada díreach a bheith tugtha istigh san Oileán aige an uair sin, agus é imithe comh fiain le gabhar ann. Do bhíos féin istigh lena linn mar is minic a thugainn an samhradh ann comh maith le héinne. Bhí sé ar bheagán Gaeilge nuair a tháinig sé ann ar dtúis, ach eolas na leabhar a bheith aige uirthi, ach mise fé dhuit gur aige a bhí sí ina sruth agus é ag fágaint na háite.

Maidean Domhnaigh ab ea í seo gur thug sé geábh amach i gceann des na naomhóga a bhí ag teacht amach chun an Aifrinn, agus, ar nós ár dtí féin, do bhíodh gnáthmhuintir an Oileáin ar thigh an Phrincess, toisc buannaíocht istigh a bheith acu ann ar an gcuma chéanna. Soir leo, agus Jackson in éineacht leo. Bhí

Máire Franncach istigh rómpu, agus do chuir bean mhaith an tí an bheirt stróinséirí in aithne dhá chéile. Bhí cur amach aige uirthi, gan dabht, agus súilaithne, b'fhéidir, comh maith. Do bheannaigh sé dhi, i bhFrainncis líofa; dar ndóigh is aige a bhí sí, agus teangacha eile mar an gcéanna. Tar éis iad a bheith scaitheamh beag le chéile ar an dteangain sin, áfach, cad déarfá le Máire ná gur dh'fhéach ina tímpeall agus go ndúirt leis: 'Nár chórtaí dhuinn, an measann tú, iompú ar theangain na ndaoine galánta so inár dtímpeall, agus gan é a bheith le casadh linn gur ag cúlchainnt orthu atáimíd?'

As Gaeilge a chaith sí an carúl so leis, ionas go dtuigfimíst í. Ar an nGaeilge a bhíodar le chéile as san amach go dtí aimsir Aifrinn, agus sinn ag éisteacht leo. 'Ar mh'anam féin,' a dúirt duine den ndream a bhí ar an láthair, 'gur maith í, a bhuachaill.' Bhí meas uirthi mar gheall ar an méid sin a rá, mar bhí a fhios acu gur le barr tuisceana a dúirt sí é.

Comh fada le Flower de, nó 'Bláithín' mar a thugaimíst air mar ná freagródh sé d'aon ainm eile, do dhein seisean a tharna baile den áit ón gcéad lá a chuir sé aithne air. Do bhíodh a bhean agus a chlann ina theannta ag teacht ann aon uair a dh'fhéadadh sé é, agus Gaeilge i gcónaí á labhairt acu leis na daoine agus eatarthu féin. 'An duine uasal ó Londain,' mar a thug Tomás Criothain air, agus dob é a ainm é. Dob é an tOileán Tiar an focal deireanach a bhí ar a bhéal aige, de réir dealraimh, agus é ag fáil bháis i Londain, nuair a bhí an t-eolas go léir a bhí bailithe as na leabhra móra aige imithe as a cheann. D'fhág sé le huacht go scaipfí a chuid luaithrí ós cionn an Oileáin, rud a deineadh. Más ea, ní gan deoir ar ghruannaibh seandaoine é a thug laethanta fada meala ina chuibhreann agus a bhain pléisiúr agus taitneamh as a chomhluadar.

B'fhuiriste dhom dul a thuilleadh leis an liosta so, ach cáb áil liom. Do dheimhnigh na daoine galánta so dhuinn gur thuigeadar sinn agus gur thuigeadar duinn. Chun é seo a dhéanamh, do thánadar

ar aon leibhéal linn féin. D'imíodar amach as a mian féin agus
d'itheadar an deargán anuas den dtlú díreach mar a dh'ithimís féin
é, gan aon nuaíocht ná aon tsólaistí eile, ach an ailp a dh'ithe
díreach mar leagtaí ós a gcomhair í. Is mar seo a thánadar isteach
ar gach aon ní, gan aon acht á dhéanamh ná aon acht á bhriseadh
acu ach luí isteach le nósa na ndaoine agus a gcuid féin a dhéanamh
dhíobh. Tá a rian air, do thógadar a leacht cuimhne féin i mbéal
agus in aigne na muintire.

Dob shin iad an dá dhream daoine a bhíodh ag teacht go Gael-
tacht Chorca Dhuibhne agus mise ag éirí suas ann. D'osclaíodar
so fuinneoga ar shaol eile dhuinn ná raibh a fhios againn a bheith
ann in aon chor nó go dtánadar inár measc, saol Gaelach, saol a
chuir suim san oidhreacht a bhí fágtha againn agus a roinneamair
go fonnmhar leo. Ba mhór linne mar dhí-umhaltacht ar na daoine
séimhe seo aon chuid den oidhreacht so a cheilt orthu, agus níor
cheileamair.

Lasmuigh den dá chleas so, dob é an duine fánach eile a thabhar-
fadh turas orainn. Ní mar sin atá inniu, áfach, tá atharrach scéil
ann ná tuigim cén bhrí atá leis. Ní hé ná go bhfuil an Gaeilgeoir
dúthrachtach ag teacht ann fós, agus tá súil agam gura fada bheidh;
ach tá dream eile ag teacht nach aon mhaith dhon áit. Béarlóirí
críochnaithe iad so ná fuil uathu ach Béarla, agus nach aon mhairg
leo an loitiméireacht atá á dhéanamh acu. Tagann siad ann ó
Bhaile Átha Cliath comh maith le Sasana, agus gan aon fhuadar
fúthu ach, mar a déarfá, intellectual slumming, rud nach féidir
dóibh a dhéanamh i nDún Chaoin ná i mBaile an Fhirtéaraigh ná
i mBaile na nGall, dá dtuigfidís féin, ná an dream a thugann ann
iad, i gceart iad féin. 'Generi-tex-i-u-m,' mar a dúirt fear an
Choma.

'Tair i measc na n-asal ar feadh tamaill go bhfeicfidh tú á
n-iomlasc féin i smúit an mhóinteáin iad; tair go gcloisfidh tú an
patois teangan atá fágtha ages na natives. Sea, tair go Corca
Dhuibhne agus tabharfaimídne Béarla dhuit a chabhróidh leat

chun an phictiúra a bhreith abhaile in iomlán leat . . .' Trufais agus cacamas dá leithéid seo, agus ní haon ní eile, a sméideann ar na daoine saonta so. Dá mbeadh a fhios acu é, tá cleas foghlamanta go maith istigh leo ansúd thiar ná ligfidh puinn den dtéid leo; dá mbeadh is gurb iad na 'róinte' féin iad—ach cad ab áil liom á rá, nach iad san lucht na foghlama ar fad gan fhios d'éinne?

Tagann na Béarlóirí seo go Dún Chaoin díreach mar a théadh an Sasanach ina lá féin, agus mar a théann an Meiriceánach sa lá tá inniu ann ar an Mór-roinn agus gan éirim d'aon teangain acu ach dá n-allagar tráchtála féin; gan aon tuiscint acu don gcultúr ársa atá san áit rómpu, ná don gcneastacht agus don síbhialtacht a shíolraigh as an gcultúr san leis na mílte blian. Is é an chuid is measa dhe so, comh fada lenár muintir féin de, go bhfuil giollaí agus scraistí aimhleasta ina measc a dheineann tláithínteacht leis na stróinséirí seo sa teangain iasachta, agus gan í sin acu ach go breallach, rud a thugann blas den local colour dom dhuine agus gur fiú leis nóta a dhéanamh ina dhialainn de. Móraíocht is cúis leis seo, gan dabht, ach is móraíocht bhréige í ná fuil bunús ná dealramh léi.

Ní fadó shoin in aon chor agus me ar mo chamchuarta trí Chorca Dhuibhne gur bhuaileas isteach aon oíche amháin go tigh óil mar an raibh lán an tí de chuideachtain. Níor rófhada istigh dom gur thugas fé ndeara gurb iad lucht an Bhéarla a bhí i gceannas an chomhluadair cé go rabhadar ar an gcaolchuid go maith ann, ní hamháin in iomadúlacht ach i ngaois agus i bhfoghlaim, dá dtuigfidís féin é. Bhíos féin caite fúm ar bhairille i bhfochair na 'róinte' agus sinn ag cur an tsaoil trí chéile. Ba ghairid a bhíos im shuí, ambaic, gur dh'éirigh an stróinséir agus gur dhein ceann de féin láithreach ar an gcomhluadar. Do sméid sé air seo agus do ghlaoigh uirthi siúd chun duain nó scéal nó amhrán a rá, agus is ann a chuala an píosa aithriseoireachta Béarla is slachtmhaire dár chuala le fada de bhlianta, an té a thuigfeadh é.

'Tuigeann tusa go maith í seo, a Phaidí,' ars an chéad rón liom féin.

136

'Tuigim dáb aon mhaith dhom é,' arsa me féin.

'Ambaiste, sea agus maitheas,' ars an tarna rón.

'N'fheadar,' ars an chéad rón.

'N'fheadaraís, a bhuachaill,' arsa dhá rón, trí cinn.

'An diabhal an bhfeadar, mhuis,' ar seisean arís. 'Ní haon áit dá leithéid é agus gan aon tuiscint ag éinne air ach acu féin.'

'Tása Dia go bhfuil an ceart aige,' arsa rón eile go raibh a cheann fé loch aige go dtí so. 'Dob fhearr liom féin stéibh den g*Cnoicín Garbh Fraoigh* nó de *Bhá na Scealg* dá mbeadh sí ag éinne.'

'Féach an bhfuil,' arsa me féin, ag séideadh fúthu.

'Tá, ar mh'anam mhuis,' arsa rón eile a bhí ag teacht agus trí chiota móra pórtair lán go barra féna gcúrán buí ag déanamh orainn trís na Béarlóirí.

'Más ea, éiríodh,' a dúrt féin.

'Éireoidh nuair a bheidh an t-ionú ann,' arsa fear na gciotaí. 'Rabharta í seo, a bhuachaill, agus bíodh 'fhios agat nach fada a bheadh a leithéid ag líonadh in aon chor.' Dob fhíor do.

Do tháinig an *Cnoicín* leis an ionú; do tháinig agus *Bá na Scealg*, agus an *Clár Bog Déil*, agus an *Binnsín Luachra*. Do thóg fear veidhlín amach agus thairg an bogha ar a sreanga trí huaire féachaint an raibh sí i dtiúin. Ansan do lig sé síos óna smigín ar a bhrollach í, agus dob shiúd leis ag taoscadh cheoil amach aisti. Bhí gach aon phreab aici istigh ina dhorn agus ba dhóigh leat ná raibh aon phutóg ina corp ná raibh ag rinnce istigh inti fé chnagarnaigh na cruaríleach a bhí á fháscadh aige aisti.

Do bhuail fear buille ar an úrlár, ag freagairt ceoil. Ansan do thug sé aon léim amháin as a chorp agus do bhí sé i lár an úrláir. Do deineadh fáinne dho, agus d'éirigh sé le casadh na ríleach agus do shatail an dá nóta deireanach den gcasadh féna dhá sháil. 'Way leis as san agus é fé mar bheadh sé ag rinnce ar phláta dhuit. Pramsach á bhaint anois agus arís as leacacha an úrláir aige chun deimhniú a dhéanamh ar nóta áirithe den gceol, ach é go triopallach cos-éadrom seolta tríd an gcuid eile den gceol. Bhí sé ina chuid den gceol é féin agus a chuid rinnce, díreach fé mar do bheidís fuaite isteach ina chéile. Nuair a dh'éadromaíodh an ceol do chífeá ina chois é. Nuair a thagadh an casadh agus an t-uaibhreas d'éiríodh air féin mar an gcéanna. Ní raibh an rinnceoir críochnaithe i gceart in aon chor nuair a bhí fear eile ar a shálaibh, agus fear eile díreach ar a shálaibh sin, sa tslí 's gur ag baint na gcos dá chéile a bhíodar fé dheireadh, gach éinne agus a steip shuaithinseach féin aige, nó crans dá chuid féin ar steipeanna a bhí rinncithe roimis age fear eile.

Duine neamheontach críochnaithe a dhéanfadh ceann de féin in áit mar seo ina bhfuil saibhreas teangan agus filíochta agus ceoil i measc daoine nár léigh aon leabhar riamh, cuid acu, ach ná ligfeadh an tsíbhialtacht agus an tuiscint dóibh iad féin a chur in iúl ann go dtí go n-éireodh an fhuil in uachtar acu agus ná féadfaidíst é a bhrú ar a gcroí a thuilleadh. Do cuireadh an teitheadh ar an mBéarla an oíche úd ach go háirithe, pé faid gairid a sheasóidh lucht an 'éirí amach.'

N'fheadarsa an dtuigeann Dún Chaoin agus Baile an Fhirtéaraigh, agus as san ó thuaidh go Béal an Chuasa, conas mar do bheadh acu dá mbeadh an saibhreas so bailithe uathu. An dóigh leo go mbeadh daoine ag taisteal orthu ina gcéadtaibh gach samhradh mar a bhíonn? An measann siad go meallfadh an radharc iad? Tá, gan dabht, an radharc ann comh breá agus comh scópúil agus atá in Éirinn. Sáraíodh éinne, cuirim i gcás, an radharc atá le feiscint ó Cheann Sratha age duine ag féachaint uaidh trí riascaibh agus trí thránna geala gainnimhe ó thuaidh isteach go barra an Dúinín agus go slinneán Chnoc Bhréanainn. Agus nuair a bheidh a riocht den radharc san fachta aige, iompú go mall righin ar a sháil, agus a shúil a leagadh ar íoghar na spéireach thiar agus theas. Ansúd a chífidh sé na línéirí móra ó Southampton agus ó Chóbh Corcaí, agus dá mbeadh a shúil agus a chluas i dtiúin i gceart aige go gcloisfeadh sé osna agus go gcífeadh sé deoir ar ghruannaibh daoine atá ag amharc go tromachroíoch ar an gcúinne beag deireanach dá bhfóidín dúchais. Sea, tá an radharc ann agus an tógaint croí, an t-uaibhreas agus an oscailt scairte. Ach tá rud is tábhachtaí fós ann, daoine go bhfuil rud acu a chaithfear a roinnt le daoine eile go bhfuil suim acu ann agus gur fiú é a roinnt leo.

XIV

Is CUID de dhlúth agus d'inneach an tsaoil i gCorca Dhuibhne riamh an t-iascach, ó Dhaingean siar ach go háirithe. Cé ná fuil de bhád acu ann inniu ach an naomhóg, ná aon eolas, puinn, ar aon bhád eile, ní mar sin a bhí acu tráth dhen tsaol, agus ní fadó shoin ar fad de bhlianta é. Is air is treise me ná raibh aon chur amach ar an naomhóig ar an gcósta so in aon chor go dtí tuairim is cheithre fichid blian ó shoin (1880 nó mar sin). Go dtí san báid saighne ar fad a bhíodh acu, agus ochtar fear á leanúint de shíor. Saighne mór trom ins gach aon bhád acu, clocha ar a bhonn chun é a shúncáil agus coirc ar an dtéid uachtair chun é a choimeád ar barra. Le linn na mbád saighne a bheith ann do bhíodh báid bheaga ann leis acu, ach ní théadh ag iascach iontu so ach sean-daoine agus slatairí óga le doruithe. Díreach sara dtáinig an naomhóg dhon dúthaigh, do bhí seacht gcinn de bháid saighne istigh i nDún Chaoin, gan trácht thar a raibh as san ó thuaidh isteach go Cuas an Bhodaigh, i mBaile na nGall agus ar an nDúinín acu. Bád mór adhmaid a bhí ós cionn fiche troigh ar faid, agus leithead dá réir inti, ab ea an bád saighne, agus do chaithfeadh an chabhair a bheith agat chun í a dh'ionnramháil. Bád ab ea í ná raibh comh soláimhsithe i ndrochfharraige leis an naomhóig in aon chor, agus is mó fear maith a thit léi nuair a rug an drochuain amuigh orthu.

Saighneoireacht an t-aon iascach amháin a bhí acu an uair sin. Do bhíodh lán an bháid sa tsaighne féin, nach mór, agus dhá bhád ar gach saighne, ceann á chur agus ceann eile á choimeád ón ndainnséar faid a bheadh an chéad bhád á thabhairt tímpeall ar an iasc; mogaill ana-mhion ann, ma'b ionann agus líonta an lae inniu, mar ní han a mhogallaíodh an t-iasc in aon chor ann ach é a theanntú istigh ann tar éis an bhoinn a bhaint uaidh laistíos ar

dtúis. Ansan, nuair a bheadh do chor curtha agat agus an saighne
tairgthe, slí a dhéanamh don chéad dream eile, mar dob shin é
dlí a bhíodh acu—na báid go léir a bheith ar gach re cor le chéile
i gcónaí ar a gceart, díreach ar nós dlí na ceártan, a uain féin ages
gach éinne nó go mbeadh a chúram déanta aige.

San am san, ní raibh aon chur amach ar iascach ghliomach acu,
ná aon chaitheamh ina ndiaidh ach oiread. Ar aon tslí, do bhí
radhairse éisc ann, mion agus garbh, agus níor chall dóibh luí
isteach le haon tsaghas áirithe ar leithrigh faid a bhí ag éirí leis an
saighneoireacht. Mar do bhí gach aon tsórt éisc ag teacht ina
dtreo leis an saighne, an trosc agus an t-alabard, an rotha agus an
langa, agus an cnúdán agus an colmóir, gach aon iasc ab fhearr
ná a chéile. Ní déarfainn ná gurb é tuairim an ama chéanna a
tháinig an maircréal ar an gcósta, nó beagán ina dhiaidh san,
díreach le teacht na naomhóige.

Is air is treise me, leis, gurb iad muintir an Oileáin an chéad
dream a chuir an bád saighne uathu agus a chuaigh leis an
naomhóig. Is lú a dh'oir an seanabhád dóibh siúd ná do lucht na
míntíreach go mór, mar do bhí gnó dho bhád acu a dhéanfadh
turasanna móra farraige in aghaidh an lae lasmuigh den iascach
ar fad, ag teacht amach ar chalath Dhún Chaoin ag triall ar a gcuid
maingisíní beaga, agus dhon Daingean féin uaireanta trí fharraigí
tréana, mar a dúirt Duinnshléibhe, 'a théann des na lachain a
shnámh.'

Anois, ní bad ar a dealramh an naomhóg agus ná tuigeadh éinne
gurb ea. Cé ná fuil inti ach ribíní agus easnaíocha clúdaithe le
craiceann peilte agus tarra fé, agus í comh baoth le sliogán uibh,
tá teacht abhaile inti i bhfarraigí arda ná fuil in aon bhád eile dá
toirt. Ar a tosach a choimeád sa bhfarraige agus gan í a ligeant i
leith a cliatháin uirthi, is maith an bléitse farraige a chuirfeadh síos
í. Agus tá iompar seoil inti ná cuirfeá féna tuairim in aon chor,
ach aon ní amháin, gan aon chille a bheith fúithi agus nach féidir
aon bhórdáil, puinn, a dhéanamh léi ach roimis an ngaoith i

gcónaí agus í ag imeacht leathchliathánach mar bheadh madra go mbeadh cróilí air tar éis hainnse a thabhairt trasna na mbaothán dó. Tá, agus iompar innill inti, rud nár bhain daoine puinn triail fós as, mar ná cuirfeá féna tuairim é. Ach má théann tú siar go Baile na nGall go deo, is ann a chífidh tú ceann acu fé inneall ag an Uasal Roycroft, ministir den dTeampall Gallda, agus Gaeilgeoir iontach a thug tamall dá shaol ag fónamh ar cheantar an Daingin agus as san siar. Tugann sé seo biaiste gach aon bhliain i mBaile na nGall agus is í an naomhóg innill atá ag iascach le cúpla bliain anois aige. Do mheas daoine ar dtúis ná déanfadh a leithéid seo an gnó choíche, ach tá cuid des na hiascairí anois a deir gur diail an tseift í agus gur mhaith leo féin triail a bhaint aisti.

Ach chun dul thar n-ais ar mo scéal: beirt ón Oileán, más fíor, a cheannaigh an chéad naomhóg riamh ar an gcósta laistiar lá dá rabhadar sa Daingean. Níorbh fhada ina dhiaidh san go bhfeacthas naomhóg aníos ón nDaingean féin ar an dtaobh theas d'Oileán agus í ag caitheamh photaí amach, agus ná feadair éinne cad a bhí ar siúl aici. B'shid é tosach na gliomadóireachta sa dúthaigh sin, agus tosach ré na naomhóige comh maith. As san amach, do bhí rith an ráis léi agus deireadh curtha leis an mbád saighne ar fad aici; tá an seanabhád san imithe as chuimhne na ndaoine ar fad thiar anois, nach mór, cé gurb í atá ó dheas ar thaobh Uíbh Ráthaigh i gcónaí acu.

Ó Chontae an Chláir a tháinig an naomhóg an chéad lá riamh go Corca Dhuibhne, a deireadh na seandaoine. Muintir Hairtní a bhí ina gcónaí thíos ar an bhFeorainn lámh le Caisleán Ghriaghaire a tháinig dhon dúthaigh ón gContae sin, b'shin iad an chéad dream a dhein naomhóg san áit. Dob iad a dhein an naomhóg gur bhuaigh muintir an Oileáin an rás léi agus gur dhein Duinnshléibhe an fhilíocht úd ina taobh, *Beauty Deas an Oileáin*, nuair a dúirt sé 'go dtáinig sí chughainn go cumtha ó Bhaile an Chaisleáin.' Is í an pátrún céanna báid atá á dhéanamh inniu ann ages na Goodwyns sa Leitriúch, agus ag an dá chrannlaoch sa Ghaeltacht thiar,

Mícheál Ó Sé an Chuasa agus Mícheál 'ac Gearailt Bhaile na nGall. Nuair a thagann sé chun cúrsaí ráis sa Chomórtas mór Náisiúnta, áfach, ní go rómhaith a dh'éiríonn leis an bpátrún atá acu ann. Tá a deireadh agus a cabhail ró-ard as an uisce i gcomórtas le bád Chonamara, agus má bhíonn aon ghairbhíocht aimsire ann is uirthi is mó a bheireann sé. Tá bád Chonamara, ón dtochta tosaigh siar, leata anuas ar an uisce ar fad agus gan í comh trom ná comh hainnis le bád Chorca Dhuibhne, ach is é tuairim a lán go bhfuil tuiscint an scéil acu gur fearr de bhád farraige ár gceann-na dá mbéarfadh orthu araon amuigh, agus go bhfuil iompar ualaigh inti ná fuil sa cheann eile mar gheall ar an dtathag a bheith inti.

Is ó *navis* na Laidne a thagann ainm na naomhóige, agus níl aon bhaint dá laghad aige leis an bhfocal 'naomh,' mar a cheapann an mhuintir seo againne go minic. Is maith leo dul siar go dtí Naomh Bréanainn agus go dtí n-a chuallacht ag triall ar bhonn agus bhunrúta an fhocail mar gheall ar na báid seithe, más fíor, a bhí á úsáid aige nuair a chuir sé chun farraige ón dtaobh tíre sin ag déanamh ar Mheirice. Do chuala féin seanfhocal eile sa chainnt uirthi, an focal 'nae.' Déarfaí le fear a bheadh bocht dealbh go raibh sé 'gan bád gan nae'; tá Cuas na Nae againn, agus féach an moladh úd a thug Duinnshléibhe do Hairtní a dhein an naomhóg dóibh i gcomhair an ráis—

A Hairtní, is áil liom do cháil nuair chloisim dá léamh,
A mhic na dea-mháthar nár cáineadh 's nár féadadh riamh é;
Go bhfuil siad á rá gur tu máistir tofa na saor,
'S mo chara do lámh, is í is breátha ag ceapadh na nae.

Sin focal ná fuil in aon chor againn, an focal 'curach' atá in áiteanna eile acu mar ainm uirthi; ach tá an focal 'curachán' againn. Ar aon chuma, b'fhéidir gurb shin é ár ndóthain des na focail.

Deir James Hornell i leabhar suimiúil a scríbh sé fiche éigin blian ó shoin ar Churacha agus Naomhóga na hÉireann gur ar abhainn na Bóinne a bhí an pátrún ab ársa ar fad den mbád so,

143

agus gur suas go Tír Chonaill a chuaigh sí as san. De réir a chéile, a deir sé, do bhí sí ag druideam léi ó dheas agus na hiascairí ag tógaint an phátrúin óna chéile, agus is ag dul i bhfeabhas agus i ndeiseacht a bhí sí ionas gurb ar chósta Chorca Dhuibhne atá sí tagtha chun barr foirfeachta agus maisiúlachta ar fad. Is ar dhealramh an bháid a bhí Hornell ag cainnt, gan dabht, agus ní har a feabhas chun iascaigh ná chun ráis. Ní healaí dhuinne réiteach leis, ach san am chéanna is leasmháthair a thógfadh orainn é.

I dtaobh na beirte úd ón Oileán a cheannaigh an chéad naomhóg sa Daingean fadó, is ar meisce a bhí an bheirt sin más fíor nuair a tháinig buachaill bán na sráide aniar aduaidh orthu gur dhíol an bád leo. Nach suarach an rud i saol duine a dheineann athrú mór mar é seo. Féach gurb í atá acu go léir inniu, agus gach aon tsórt iascaigh á dhéanamh acu léi, ón ndorú agus an spilléar agus an traimill, go dtí iascach na ngliomach, na scadán agus na maircréal féin nuair a bhuaileann sé an treo chúchu. Ní fada siar cheithre fichid blian, níl ann ach saol duine, agus is maith mar ráinig an naomhóg ina dtreo mar do bhí meath dulta ar an iascach saighne fén am san. Ach do bhí punt an dosaen ar ghliomaigh san am chéanna. An chéad naomhóg as an áit a chuaigh á n-iascach, tar éis díol aisti féin, abair, deich bpúint nó mar sin, do bhí deich bpúint an fear ag an gcriú as a mbiaiste, agus ba dhiail an t-airgead é sin cheithre fichid blian ó shoin.

Ní cuimhin liomsa an bád saighne ná aon dul air, ach a bheith ag éisteacht leo agus ag géilleadh dhóibh, mar a dúirt an fear. Ach is cuimhin liom nuair a bhí an naomhóg fé lánréim, gan slí ar na slipeanna ná ar na céibheanna do n-a raibh ann acu, agus gnó dhóibh uile go léir. Nuair a bhíos im pháiste agus me ag teacht abhaile ón dTuar le luí na hoíche tar éis a bheith ag seoladh na mbó, do chínn chugham ceann acu aneas de dhroim Charraig an Chinn agus ceann eile aduaidh de dhroim Liúrach ar Cheann an Dúna amuigh, agus iad go léir ag déanamh ar thráigh an Choma i gcomhair na hoíche. Ní rófhada go mbeadh ceann agus dhá cheann, trí cinn, á leanúint siúd aduaidh agus aneas, go dtí go mbeadh an tráigh lasmuigh dhíot cíordhubh leo, dar leat.

Cé go mbeadh an ghrian imithe síos le tamall roimis sin agus scáilí dorcha ag bailiú inár dtímpeall, do bheadh gealas éigin ar an bhfarraige fós, ionas go gcífeá na ciaróga dubha lasmuigh agus iad ag máinneáil leo ar a suaimhneas ag feitheamh leis an ndoircheacht agus leis an iasc a theacht ar barra. Do chloisfeá a gcainnt ag teacht chughat sa chiúnas, agus nach mór ná go dtuigfeá focail anso agus ansúd uathu. Iad ag cur fáilte roim n-a chéile mar bheadh mná ar chóisire. Ní chloisfeá liú ná glam go deo astu, mar ná ceadaíonn dlí na farraige a leithéid ach in am an ghátair. Nuair a thitfeadh an oíche anuas orthu i gceart, ní bheadh de chomharthaí agat ansan orthu ach an ghibris, agus an cipín solais a bheadh á lasadh age fear anso agus ansúd chun tine a chur lena phíp. Níl aon radharc is buaine im chuimhne ná na soilse beaga bídeacha so gur dhóigh leat gur réiltíní solais iad a bheadh ag glioscarnaigh ar bhrollach na farraige i ndoircheacht na hoíche. Níorbh aon ní é sin go n-éireodh an t-iasc. An pháirc éisc nuair a dh'éireodh sí amuigh, do thabharfá an leabhar go raibh an áit go léir ar dearg-lasadh le tine dhiamhair éigin ó íochtar na farraige; méirneáil an éisc gan dabht. Is ansan a thosnaíodh an chlibirt agus an tuargaint age lucht na mbád; do bhí deireadh ansan leis an suaimhneas agus leis an suainseán acu nó go mbeadh a gcor tugtha acu agus iad ag teacht chughat abhaile lán go gunaill.

Radharc eile ar naomhóga ná dearúdfad choíche, nuair a bhíodh sochraid ag teacht amach ón Oileán go dtí cé Dhún Chaoin, agus dhá thaobh an pharóiste amuigh ag feitheamh ar bharra Fhaille Móire leo. An chomhra leagtha trasna ar dheireadh an chéad bháid, agus na naomhóga uile go léir ón Oileán, comh maith le pé naomhóga a raghadh isteach ó Dhún Chaoin féin, i gcoinne na sochraide, ina scuaine i ndiaidh na chéad naomhóige aniar agus iad leata amach ina dhá líne díreach ar nós na ngéanna fiaine. Is minic a chonac breis agus fiche naomhóg ann mar seo, deich gcinn

I

ins gach géag den scuaine, agus gan aon bhriseadh ar a n-eagar ach iad buille ar bhuille le chéile go sroichidís béal na Faille amuigh againn, breis is trí mhíle d'fharraige. Tá na radharcanna so imithe as an saol ar fad anois mar ná fuil na báid ann, ná na daoine ach oiread, dá ndéarfainn é.

XV

Cuireann na sochraidí seo ón Oileán i gcuimhne dhom gur mó caitheamh a bhí i ndiaidh an tsaoil ansan istigh agam riamh ná i ndiaidh an tsaoil lasmuigh ar an míntír. Ón Oileán ab ea mo mháthair, iníon do Thomás Criothain, trócaire orthu araon anois. D'fhág san oidhreacht agam, me a bheith im éan dearg riamh. Cumá ná beinn agus é siolptha óna hucht agam? Nuair a chuireadh sí dhon leabaidh istoíche me, dob é mo bhiorán suain óna beolaibh é, agus í ag eachtraí dhom ar an saol agus í óg ar an mBlascaod, ar an gcuideachtain agus ar an gcomhluadar a bhí ann, agus ar an ndraíocht go léir a bhí le feiscint agc duine nuair a bheadh an ghrian ag dul fé siar ós cionn na Tiarachta agus é ina sheasamh ar an nDumhaich agus ar bharra thráigh Ghearaí.

'Ach, a Mham,' a deirinn, 'is dócha gurb áiteanna an-uaigneach iad san, agus na hainmneacha atá orthu.'

'Is ea, leis, a mhaoineach,' a deireadh sí. 'Ach níl aon draíocht ach mar an mbíonn an t-uaigneas. An bhfeacaís riamh faoileann agus í ina seasamh ina haonar ar mhionnán? An bhfuil aon radharc is uaigní ná í, ná is truamhéilí? Ach féach an draíocht a chuirfeadh sí ort.'

Do bhí macalla an Oileáin ins gach aon fhocal aici, agus mise ag éisteacht léi. 'Níl aon fhaill sa Dún,' a deireadh sí, amach as a machnamh liom arís, agus ainm na bhfaillteacha san anairde ar fuaid na bparóistí ó thuaidh agus ó dheas. 'Dá mbuailfeá taobh an Oileáin ó thuaidh tamall de lá, is ansan a chífeá an radharc ar fhaillteacha. Ná bac san, a chuid,' a deireadh sí, 'raghaimíd i dteannta a chéile ann lá breá éigin.'

Níor tháinig an lá san riamh, mo ghreidhin í. Do rug a bráca féin uirthi a chuir dhon úir í. Leanbh a shaolú dhi in aghaidh na bliana, dob shin é a bhí i ndán di gur chuir an t-ochtú ceann dhon chill í. Toil Dé gan dabht, ach é a bheith cruaidh ar ar fhág sí ina diaidh.

Ina theannta so, mar a dúrt abhfad siar, do bhíodh muintir an oileáin ag tarrac ar an dtigh againne toisc a gcoda féin a bheith ann agus iad a bheith buannúil orainn dá bharr. Tar éis Aifrinn Dé Domhnaigh a bhuailidís chughainn anoir ó Dhún Chaoin ina mbeirt is ina dtriúr. Is minic a thugaidíst iontaisí beaga chughainne agus iad déanta lena láimh acu. Is cuimhin liom go bhfuaireas bád seoil ó dhuine acu aon Domhnach amháin, duine go dtugtaí 'Ceirnithe' mar leasainm air, agus a dh'imigh go Meirice ina dhiaidh san. De spreota raice a dhein sé an bád so, agus a seolta bogóideacha báindhearga feistithe suas fé bharr na gcrann gcomhfhada gcomhdhíreach uirthi, mar a dúirt sé féin agus é á síneadh chugham. Más ea, níor chuaigh brí na cainnte amú ormsa, mar is agam a bhí an taithí uirthi i mbéal mo dhorais féin.

'Bíodh sí sin agat,' ar seisean, 'b'fhéidir go ndéanfadh sí mairnéalach díot, marab é mianach an fheirmeora atá ionat,' agus é ag leamhgháirí. Is í a bhí déanta go fuinte aige, idir théad agus chrann, siota agus háiléar, díreach mar do thiocfadh sí amach as an bhfilleadh chughat. Ní foláir nó do bhí ráithe fada díreach caite aige léi, rud ná maífeadh an fear céanna go deo ar 'chlann na seanamhuintire,' mar a déarfadh sé féin.

Is mó lá a thugainnse ar an dtaobh thuaidh de Dhún ag ceaidéireacht dom féin ag faire ar na cuirliúin agus ar na roilleoga agus ar na circíní trá ar guardal im thímpeall agus á ngrianadh féin thíos ar Ghleann Fáile. Ní raibh aon lá acu ná go mbeadh mo shúil anairde agam d'aon naomhóig a dh'fhágfadh Inneoin an Oileáin chun teacht go Faill Mhóir. Soir liom ansan comh luath in aon chor agus a chífinn a gob á chur amach aici. Soir barra na bhfaillteacha go mbeadh cé Fhaille Móire bainte amach agam roimpi. Dá mbeadh an seol uirthi, áfach, agus an chóir cheart a bheith aici ag gabháilt amach, dob é mo dhícheall mór í a shárú.

Dob é an dálta céanna agam é tar éis scoile dá gcífinn chugham aon cheann acu trasna an Bhealaigh. Do bhínn ar an gcé roimpi, agus na fáiltí geala acu rómham, mar do bhí aithne acu go léir orm. B'fhéidir gurb é m'úncail Seán a bheadh i gceann acu, agus go mbeadh mo chúpla pingin agam uaidh, nó, b'fhéidir, foisceall-ach éisc úir le breith abhaile. Marab é sin a bheadh ann, do bheadh gaol gairid éigin dom inti, mar is beag tigh san Oileán ná go raibh ioscad gaoil againn leo. Ní raibh aon bhád dá dtagadh ná go mbíodh duine éigin inti ag tathant orm téanachtaint lena gcois isteach, agus geallaim dhuit mara mbeadh an greim a bheith orm gur minic a bhíos imithe leo.

Do bhíos ag cur 's ag cúiteamh mar seo ar feadh abhfad féachaint cad ba cheart dom a dhéanamh go dtí aon mhaidean amháin agus me ag dul ar scoil leis an gcuid eile. Nuair a shroicheamair barra Chuas na gColúr cad a bheadh ach dhá bhád díreach tagtha ar an gcalath le hiasc. Síos liom féna ndéin, agus mo mhála fém ascaill agam. Do bhíos ag faire orthu agus ag teallaireacht leo go raibh an t-iasc comhairithe amach acu. Maircréil fómhair ab ea iad agus bolath breá uathu.

'Nárbh fhearra dhuit stropa acu san a bhualadh chughat agus iad a bhreith abhaile leat?' arsa fear acu liom.

'Dhéanfainn, ach go bhfuilim ag dul ar scoil,' a dúrt.

'Ná féadfá cúpla ceann acu a chaitheamh go dtí an máistir?' arsa fear eile liom. 'B'fhéidir go leagfadh sé a shúil duit agus tu déanach ag bualadh isteach chuige inniu.'

'Ach nílim déanach fós,' a dúrt.

'Tánn tú, agus lándéanach, ar mh'anam,' ar seisean liom.

'Caith chugham cúpla breac, mar sin,' a dúrt. 'Caithfidh mé rud éigin a bheith agam do a leagfaidh a shúil más mar sin atá.'

Do dheineadar suas stropa dhom agus do chuireas díom. Má chuireas, do bhíos ag breith chugham féin agus geallaim dhuit ná rabhas róstéigithe in aon chur chun tabhairt fén scoil. Is ea a dh'éalaigh an t-am orm, agus is maith a bhí a fhios agam gurb iad mo chaiseabhraí a bhí ag feitheamh liom nuair a shroichfinn an scoil. Do bhíos leath na slí amach nuair a labhair duine den ndream thíos liom.

'Níorbh fhearra dhuit rud de, anois,' ar seisean, 'ná bualadh isteach farainne, agus an máistir a chur in ainm an diabhail, é féin agus a chuid leabhra.' Dob fhuiriste cur chugham, agus an riach dom nár ghéill.

Aon bhliain déag d'aois a bhíos ag an am san agus me sa cheathrú rang ar scoil, ach ba chuma leo san agus ní lú ná mar ba chuma liomsa. Do chaitheas rómham síos an stropa éisc agus mo mhála scoile, agus ní mór ná go rabhas féin thíos comh luath leo. Do bhí bád eile tagtha ar an gcalath anois agus í síos go slait le mair-créil. Do comhairíodh amach iad ina gcéadtaibh, dathad lámh ins gach aon chéad, dhá láimh agus teaillí. Céad lom a thugtar ar an dathad lámh féin, trí cinn de mhaircréil ins gach láimh, an dá láimh ag obair in éineacht agat agus tu ag caitheamh leat, sa tslí 's nach gá dhuit ach comhaireamh suas go dtí n-a fiche. Ansan dhá láimh eile, agus dhá bhreac (an teaillí) anuas orthu san, agus sin é an céad lán agat, hocht gcinn agus sé fichid ar fad.

Dob shin é an comhaireamh a bhí uamsa agus níorbh é an comhaireamh gan dealramh a bhí ar scoil againn. Ba bheag é tuiscint lucht na scolaíochta ar an gcomhaireamh so, ach gach aon tsum agus iad ag caint ar dhosaein agus ar scórtha agus ar ghrós-anna, agus gan puinn tuiscint ag éinne againn orthu. Ins na sumanna so, nuair a théadh fear ag ceannach, is ag ceannach úll a théadh sé. Nuair a théadh sé ag díol, is tae agus siúicre a bhíodh aige nó neach cé acu, stéigeanna móra bagúin. Ní cheannaíodh éinne riamh gliomaigh, ná ní dhíoladh sé scadáin ná maircréil. Agus ós ag tagairt don scéal atáim, ní raibh aon toisí riamh ins na sumanna céanna ach orlaí, agus troithe agus slata, agus acraí talún. Bíodh geall ná tuigfeadh éinne acu so cad is croma ná bannlá ann, ná cad is céad talún ann, ná conas a thomhaisfeá fiche feá de dhorú chun dul ag iascach leis, ní abraím conas an t-iasc féin a chomh-aireamh nuair a bheadh beirthe agat air. Dob shin iad na toisí a bhí againne, agus níor thuigeamair a malairt go dtí gur cuireadh síos ár scórnaigh ar scoil iad. Deinim amach ná raibh puinn maitheasa sa scolaíocht chéanna riamh duinne, mar dá leanóimís suas í ná déanfadh sí sa deireadh linn ach hucstaeirí nó lucht gaimbín a dhéanamh dínn, nó neach cé acu, máistrí scoile. Dia idir sinn agus an t-olc!

Leis an smaoineamh san do ropas mo mhála scoile isteach sa chéad naomhóig, agus d'aon léim cabhlach amháin do bhíos ar mo dhá ghlúin ar a clár deiridh tar éis í a sháthadh amach ón slip. Ní thabharfainn le rá dhóibh, a bhuachaill, ná raibh fios mo chéirde agam, máb ó Dhún Chaoin féin me, agus má bhí lucht naomhóg istigh go rabhadar amuigh leis, beag is mór. Do chonac ag féachaint ar a chéile iad, ach níor ligeas faic orm, ach suí síos ar mo chorraghiob i ndeireadh na naomhóige, agus lámh ar gach gunaill agam, díreach mar a chínn á dhéanamh ag an bhfear a bheadh díomhaoin sa naomhóig i gcónaí.

Gaoth anoir aduaidh a bhí ann agus taoide atha rabharta, agus do bhí cuilithíní agus caipíní geala tríd an mBealach aniar. Ní raibh an fharraige ag briseadh in aon chor, áfach, ach í suaite inti féin, rud a chuir eagla an tonn taoscaigh orm féin, ambaist, gan fhios d'éinne. Do bhí ceathrar fear ag rámhaíocht uirthi, agus deirimse leat nach fada a bhíodar á scuabadh amach ón gCoileach. Do bhí an chóir acu thar barr, gan dabht, agus, rud nár thógtha orthu, dream a bhí suaite go maith tar éis na hoíche, do thairgíodar isteach a maidí agus do ropadar an seol anairde uirthi. Is fé sheol is measa í dhon té ná fuil an taithí amuigh aige, go mórmhór in aon tsuathadh mar a bhí ann an lá san.

Dob shin ionú agamsa é, agus níorbh fhada gur bhraitheas an rabhait chugham. Agus rabhait, agus rabhait eile. Más ea, ní haon trua a bhí dhom, ach ligeant dom é a chur díom. Ach ní galar é seo a chuireann tú dhíot de gheit, agus do bhíos-sa ar shlip na hInneonach istigh sara rabhas ag teacht chugham féin. Is ansan a labhair duine den gcriú.

'Sin iad mairnéalaigh an Choma agat, a bhuachaill,' ar seisean, agus fonn fonomhaide air. Ba leamh liom féin mar chainnt í mar ná raibh puinn giúmair orm chun aon bhlas a dh'fháil uirthi, agus do chuireas díom suas mar an raibh na daoine bailithe ar bhun na Cúlóige, rud ba bhéas leo comh luath agus a thiocfadh aon bhád ar an linn.

Do bhí mo mhála fém ascaill agam agus me ag teannadh liom suas, nuair a labhair fear foghlamanta eile, agus an fonn céanna air. 'An bhfuil aon scéal isteach agat, a Phaidí?' ar seisean. 'Ní foláir nó do chonacabhair rud éigin ar thaobh Bheiginis.'

'Tá bricfeast maith age faoileann bhocht éigin inniu,' a dúirt buachaill bán eile ó bhinn tí Leimhinn lastuas. Gach éinne agus a charúl féin á chaitheamh leis an ngamall ó thóin an Choma aige.

Do bhí m'úncail, Seán an Oileáin, mar a thugaimíd fós air, an cosán aniar im choinne. Mara mbeadh é theacht do bhíos curtha le haer an tsaoil ages na bioránaigh lastoir. 'Téanam ort,' ar seisean, 'ná tóg aon cheann de san. Mar mhagadh athá siad san leat. Dá mbeadh ag breith ort, a bhuachaill, cuimhnigh gurb shin iad an chéad dream a raghadh ag fóirithint ort.' D'imíomair orainn siar abhaile, agus do fuaireas mo chéad amharc ar Thomás Criothain.

Do bhí sé ag feitheamh ar an bpábhaille lasmuigh dá dhoras leis an mbeirt againn. 'Mhuise, céad fáilte dá dtiocfadh an saol chughainn,' ar seisean. Níor fhiafraigh sé dhíom cad a thug me, ná faic a' bharra, ach me a thabhairt isteach agus me a chur im shuí cois na tine, go dtí go raibh muga mór tae curtha ós mo chomhair aige. 'Ní dócha go raghadh maircréal rósta síos go rómhaith fós leat,' ar seisean.

'Íosfaidh sé fós anocht é le hannlann an ocrais,' a dúirt Seán. 'Fan go dtiocfaidh sé chuige féin.'

'Fanfam, ambaic,' a dúirt an seanduine. 'Tá an lá fada aige.'

'Tá, marab iad na pílears a bheidh ar a thóir,' ars an t-úncail.

'Má bhíd féin,' ars an crannlaoch, 'nach maith an áit a bhfuil sé. Nach mó fear maith nach é a bhain an áit amach nuair a bhí an tóir ag dul dian air?'

'Ach ní hé seo Piaras Firtéar againn,' ars an t-úncail.

Do bhí a fhios acu araon, gan dabht, gurb amhlaidh a bhí éalaithe ó scoil agam, agus gur dócha ná raibh a fhios age m'mhuintir é.

'Beidh bád éigin ag bualadh amach fé thráthnóna,' a dúirt an seanduine. 'Ní haon ní atá déanta as an slí aige mar sin ach rud a dhéanfaimís go léir ina aos.' Do bhí sé ana-thuisceanach, agus níor mhaith leis gan a bheith lách liom sa chás ina rabhas tar éis mo thurais.

'Mara mbeidh, caithfear é a chur amach ar Chuas an Reithe,' a dúirt an fear eile. Leath mhíle d'fharraige a bhí idir iad agus an Cuas so ar cheann an Dúna, agus is minic a théidíst ann in ionad dul go Dún Chaoin in am an ghátair. Ach ní mar sin a bhí an lá san, agus ní dócha gurb é a bhí ceaptha dhom. Mar do shéid sé, agus is ag éirí air a bhí nuair a thit an oíche, i gcás ná raibh le déanamh acu liomsa ach me a chur a chodladh go maidean. Níorbh fhearr liom féin rud de, gan dabht, agus do chodlaíos ar nós an traona go headartha lá arna mháireach.

Dob shin é mo chéad turas dhon Oileán Tiar. Do cuireadh amach ar Chuas an Reithe me nuair a tháinig aon tsuaimhneas ar an bhfarraige siar go maith sa lá. Ní róstéigithe a bhíodar chun tabhairt fé amach in aon chor mar ná raibh aon ana-chuma air, ach go raibh gnó le déanamh agus go gcaithfí é a dhéanamh. Tugadh lascadh sa laghair dom agus do cuireadh i dtír me, agus dob shin a raibh air. Dá mbeadh an t-eireaball orm is idir mo dhá chois a bheadh sé agam ag déanamh ar an mbaile, mar do bhí mo bhúrdáil ag feitheamh liom go dóite ansan, agus níorbh aon ní a raibh ansan rómham go dtí maidean lá arna mháireach nuair a chuas ar scoil. Do bhí mo thuras ceannaithe go maith agam, ar mo leabhar.

Tar éis an lae sin, do gheallas dom féin, pé ní 's mar dhéanfadh lucht gaimbín agus hucstaeireachta, go raghainn le múinteoireacht agus go mbeinn im mháistir scoile. Ach féach nach mar sin a dh'imíonn an saol in aon chor, ach an rud a bhíonn ceaptha dho dhuine, is dócha. Pé rún a dheineas an lá san, áfach, níor choinnigh aon cheann acu ón Oileán me, agus is mó seachtain agus mí fada díreach a thugas ina dhiaidh san ann.

XVI

Níor scríbh éinne riamh ar an gCriothanach agus ar a shaothar is mó go raibh aithne aige air ná mar a bhí agamsa, ní nach ionadh, mar ní raibh aon tsamhradh dá dtagadh ina dhiaidh san ná go dtugainn biaiste ina theannta. Do bhí neart agamsa dánaíocht a dhéanamh air ná déanfadh a thuilleadh, agus aigesean ormsa, am cheartú agus am chur ar bhóthar mo leasa, rud a dh'oir dom go minic ar nós ógánaigh nach me. D'itheas ar aon bhord leis, amach as an bpláta céanna. Do chodlaíos in aon tseomra leis, i dtóin an tí, me féin agus m'úncail Seán in aon leaba amháin agus é siúd sa cheann eile, craiceann róin ar an úrlár idir an dá leabaidh. Cófra mór adhmaid agus glas air taobh an fhalla eatarthu, agus é ag dul díom i gcónaí cad a bhí istigh ann.

Is mó sclaimh a thug sé orm i dtaobh me a bheith amuigh déanach san oíche uaidh, mar is maith a bhí a fhios aige gur ag slatfhiach agus ag bolathaíl tímpeall na mban a bhínn, nó ag airneán i dtithe aragail nuair ab é ba chórtaí dhom a bheith ar mo leabaidh. Ach do bhí an chuideachta ar an Oileán an uair sin; mar a déarfadh sé féin, 'do bhí an fear anoir agus an bhean aniar ann,' agus in aon áit a mbíonn a leithéid amhlaidh ní bhíonn aon ní ina cheart, ach iad go léir á fhéachaint le chéile cé thabharfadh an stróinséir abhaile, agus é a dhéanamh gan fhios do chách. Mar dá mbéarfaí amuigh ort ar na cosáin agus tu ag dul ar do chor, bhí an phraiseach ar fuaid na mias agat. Níorbh fhearra dhuit rud a dhéanfá ná do líonta a tharrac ansan agus cur díot abhaile.

An té go mbeadh fonn bóithreoireachta air, is siar fén nDumhaich a thabharfadh sé a aghaidh tráthnóna le luí gréine. Laistíos siar barra na Trá Báine, na garsúin i dteannta a chéile agus na mná rómpu amach, gan aon chaidreamh acu féin le chéile go mbainfidíst an áit thiar amach. B'fhéidir go mbeadh veidhlín thiar, nó mileoidean, agus b'fhéidir ná beadh. Ach rogha a bheith nó gan a bheith, do bhí daoine ansúd ná fágfadh aon easpa ceoil ort lena gcuid portaireachta, agus is mó seit mhaith a deineadh ann ar an slí seo anuas ar an bhféar glas, agus gan aon locht ar an bpaiste ach ná féadfá aon chnagarnach a bhaint leis na bróga tairní as.

   Oíche shamhraidh ar bharra thráigh Ghearaí agus ar an nDumhaich ós a cionn, is mó deoir, a déarfainn, a bhainfeadh so as shúile daoine atá imithe le fuacht agus le fán as anois, i Meirice agus as san go Birmingham; sea, agus dá ndéarfainn é, amuigh ar an míntír féin mar a bhfuil cuid mhaith acu, nuair a dh'fhéachann siad uathu isteach agus go smaoiníonn siad ar an saol a bhí ann nuair a bhíodar óg. Tu féin a chaitheamh ar an maolchlaí ansúd ag faire ar na rinnceoirí agus ag éisteacht leis an gceol. Féachaint uait siar ar bhun na spéireach agus an fharraige ina léinsigh, agus fé mar bheadh sámhairíocht chodlata ag teacht anois uirthi. Gealas inti fós, agus rianta den ndearg agus den gcorcair fágtha ar a bruach. Inis Tuaisceart ó thuaidh uait agus í ar leataoibh ón aoibhneas, beagán. Na hoileáin bheaga eile scaipthe fút thíos ar gach taobh díot ag roinnt an aoibhnis leat. Róinte ag faire ar thiormú orthu chun seal den oíche a thabhairt ina gcodladh anairde orthu, agus iad traochta age sealgaireacht an lae. Faoilinn ag píopaireacht ar cheann acu; roilleoga ar cheann eile agus iad ag cannrán. Forachain ina n-éisteacht anois, agus iad féin agus a gcuid gearrcach bailithe leo ó dheas i measc an uaignis. An fiach mara tiormaithe suas ar a strapa féin tar éis a shaothair fé uisce, agus an gainéad imithe a chodladh ar an Sceilg.

   Nuair a dh'imeodh an gealas, áfach, do bhí deireadh leis an aoibhneas, agus do chaithfeá cur díot, agus, ar aon chuma, is dócha go raibh slua eile i mbun an chnoic lastuas a bhí ag tnúth lena gcuid rinncí agus lena gcuid píopaireachta féin a dhéanamh ar an nDumhaich as san go hádhmhaidean. Bualadh lastuas aniar ansan go dtí tithe bharra an bhaile mar a mbíodh an gabhar á róstadh

an chuid eile dhen oíche. Rinnce age Muintir Chearnaigh nó age
Muintir Chatháin, b'fhéidir, agus dul isteach agus casadh a bhaint
as stróinséir mná a bheadh ag fágaint lá arna mháireach agus í lán
d'uaigneas tar éis a coicís. Tamall eile den oíche sa Dáil ar do
bhóthar abhaile lastoir síos.

Dob shin í an oíche agus dob shin é an saol ar an Oileán díreach
nuair a bhí Tomás Criothain ag scríobh a mhórshaothair. Ach do
bhí gné eile de shaol an Oileáin ná feacaidh na stróinséirí seo in
aon chor, ná éinne eile ach an té a bhí istigh ann idir gheimhreadh
agus shamhradh. Ní fhacas-sa ach oiread é ach ina mhionradharc-
anna, thareis an méid de a bhí sa dúchas agam féin.

Is fada óna chéile an saol ar oileán agus saol na míntíreach. Broid
agus anaithe agus annró le linn an tséasúir agus faid a mhaireann
biaiste an éisc; codladh agus céalacan fada sa dúluachair. Aon
oileán ná raibh siopa ná, fiú amháin, braon le n-ól féin le fáil ann,
mar a bhí ag an mBlascaod, gabhair thobac ar dhaoine go minic
nuair a thiocfadh an drochuain orthu agus ná féadfaidís dul ag
triall air. Agus an goirteamas i gcónaí—marab é goirteamas an
éisc é, goirteamas an tsáile. Bolath an éisc ins gach tigh; blas an
éisc ar gach béile, fiú amháin ar an ubh circe féin, mar aon chearc
a dh'itheann sceanfairt éisc, ní fhéadfadh a hubhsan gan é a bheith
ann. Salann na farraige ar lic an tinteáin as na líonta a bheadh ar
crochadh sa chúinne. É ar gach scian agus forc agus pláta sa tigh.
Úsc an róin féin mar chéirín leighis agus le cuimilt don eospairt.
Is é dlúth agus inneach an tsaoil an goirteamas.

Éan farraige is ea fear an oileáin, ma'b ionann agus fear na
míntíreach, mar is éan talún é sin, fairsinge tíre aige agus a aigne
múnlaithe dá réir. Ach níl ag an oileánach ach an chloch fharraige
inar scríob sé ionad nide dho féin i bhfoithin scailpe chun a chuid
gearrcach a thabhairt ar an saol inti agus iad a scaoileadh chun
farraige, ceann ar cheann, de réir mar thagann siad chun coinn-
líochta. Tá a rian san ar a mheon agus ar a aigne, a rian orthu gur
i mbraighdeanas a saolaíodh agus a múnlaíodh iad. Fágann so

coimhtheacht an ghuardail agus an chrosáin ann, gach aon ní cúng, beag, suarach.

Dob shin ionú ag an Oileán Tiar é agus ag an muintir a mhair ann. Ní raibh de chaidreamh leis an míntír acu ach lá an Aifrinn agus lá an aonaigh, pósadh nó baiste nó Ola Dhéanach. Ba mhinicí ag cainnt ar Bhoston nó ar Springfield iad ná ar an mbaile mór ba ghiorra dhóibh, an Daingean; abraímse Tráigh Lí leat, agus gan é ach dathad éigin míle ó bhaile uathu. Lá sa Daingean ag díol chaeireach; turas ar an mBuailtín ag triall ar an sagart; lá i nDún Chaoin ag triall ar mhaingisíní agus ar ghréithre i gcomhair an tí, laethanta móra iad san a choimeádfadh ag cainnt agus ag eachtraí ar feadh seachtaine iad.

Ach do bhí a gcultúr féin acu, agus do bhí aithint ar fhear an Oileáin in aon chuideachtain, agus tá go dtí an lá tá inniu ann. Rud é seo a thugadar amach leo, agus ná fuil aon ainm cheart agamsa air. Ní cúthaileacht ná támáilteacht é, cé go bhfuil gaol acu leis; geanúlacht, is dócha, an focal is giorra dho, agus pé focal a bheadh agat ar easpa boirbeachta. An áit a ndéanfadh an fear amuigh ceann de féin, ní dhéanfadh an fear istigh é. An áit a dtabharfadh an fear amuigh péac fút do ligfeadh an fear istigh leat é. Chun scéal gearra a dhéanamh de, do bhí 'goirteamas' amuigh ná raibh istigh in aon chor; más ea, ní hé goirteamas an tsalainn ná an tsáile a bhí againn ó chianaibh é.

D'iarraidh tuairim éigin a thabhairt díbh atáim anso ar an bpátrún saoil as ar fáisceadh Peig Sayers agus Muiris Ó Súilleabháin agus Tomás Criothain, go mórmhór Tomás, toisc gurb ann a rugadh é féin agus a shinsir roimis agus nár dh'fhág sé riamh é. Éan farraige ar nós na coda eile ab ea an Criothanach ina lá féin. Ach do sháraigh agus do theanntaigh an fharraige é fé dheireadh, agus do dhein sí éan talún de, agus is mar sin a bhí sé aici nuair a chonacsa don chéad uair é. Tá a phictiúir go cruthanta ós comhair mo shúl anois agus me ag cuimhneamh air. É ina sheasamh i mbun an bhuaile taobh lena sheanathigh agus é ag féachaint i dtreo

Bheiginis chun na farraige. A dhá shúil ar tinneall istigh ina cheann. A hata scaoilte siar dá mhalainn agus gan aon chuid dá chúl le feiscint agat. Droinn bheag air nár chuaigh thar n-a shlinneáin síos. Geansaí tanaí gorm air, agus veist, gan aon chasóg, agus a dhá láimh sáite síos i bpócaí a threabhsair aige. É go feosaí agus go brusanta agus go haibidh. A fhios agat go maith ar fhéachaint air ná raibh aon chor á chur ag éan de ó thuaidh go Ceann Sratha agus as san arís go hInis Tuaisceart ná raibh ag teacht fé raon a shúl.

Is deas liom cuimhneamh ar Thomás ina sheasamh mar siúd ag féachaint uaidh amach ar an bhfarraige. Bád ag teacht ar an Inneoin agus bád eile ag imeacht, agus a gcúraimí go léir ag cur tinnis air, rud a bhí á choimeád ina bheathaidh. Bheinn féin sínte ar mo leathchliathán i bhfoithin na cruaiche ós comhair an dorais amach mar an raibh grian agus teas agam.

'An diabhal an bhfeadar ná gurb é Seán Mhicil a chím chugham isteach ó Bheiginis,' a déarfadh sé. 'Nach maith luath a bhí sé ar a phota inniu, ní raghadh a oiread de. Tá, ar mh'anam, mhuis,' a déarfadh sé arís, 'agus ní gan deargán atá sé siúd ag teacht má bhí aon cheann sa bhfarraige, bail ó Dhia air.' Fúm féin a bhíodh sé ag tabhairt, gan dabht, canathaobh go mbeinn sínte ar mo shlait ansúd agus breac úr le fáil agam gan ach bualadh síos fé dhéin na naomhóige. Mar do bhí dúil an duine mhairbh aige sa bhreac úr, go mórmhór dá ba deargán é. 'Mian mic a shúil,' a deirinn féin fém fhiacla ag cur díom.

'Nach breá ná rabhais anuas nuair a bhí cúram duit,' a déarfadh Seán Mhicil nuair a bheadh an naomhóg tiormaithe suas aige. 'Is mairg a bheadh ag brath ar bhur leithéidí nár ceapadh riamh dóibh ach an díomhaointeas agus a mbolg a bheith le gréin acu.' Ag tagairt don scéal a bhíodh Seán, mar is minic a théinnse lena gcois ar an tarna tarrac. 'Th'anam dhon deans,' a déarfadh sé, 'is deacair díbh; airneán go búndún agus codladh go headartha . . .'

'Sea, níor tháinís gan breac, ní foláir?' a déarfainn féin leis, ag teacht trasna air.

'. . . gan uaibh ach ocras agus saoráid, agus ligeant do dhaoine eile a bheith ag soláthar na beatha dhíbh.'

'Nár mhaí Dia mo bhreac orm,' a déarfainn, 'is agam a bheidh sé ceannaithe. Má tá aon deargán ar thóin na naomhóige agat, caith chugham é go mbead ag cur díom as so.' Is maith a bhí a fhios agamsa gur d'aonghnó a bhíodh Seán, agus go gcaithfeá a bheith oiriúnach do, mar do bhí seanathaithí agam air agus ar a chuid píopaireachta.

'Th'anam dhon deans,' a déarfadh sé, 'ná héisteodh sibh leis an bhfear ó thóin an Choma ag cainnt ar dheargáin, agus ná haith-neodh sé ceann acu ón madra éisc,' agus gach aon tritheamh as. Más ea, ní le drochaigne ná le doicheall é, mar ná ceilfeadh Seán smior na gcnámh ort.

Sa deireadh thiar ní dheininn aon ní ach dul agus ceann acu a thógaint as an naomhóig, agus cur díom an tslí amach. 'Ní fearra dhuit cíos Chlaise Bhig ort, is dócha,' a déarfadh sé, agus me ag imeacht uaidh.

Siar isteach abhaile liom go dtí Tomás lem bhreac. Níorbh fhearr leis spóla mairteola ná é.

'An ngearrfaidh mé dhuit é?' arsa mise.

'Ní ghearrfair, ná ní bhuailfir barra méire air,' ar seisean. 'Obair í seo do dhuine go bhfuil eolas agus taithí aige uirthi. Ní dhéan-fadh príntíseacht an gnó in aon chor anso, a bhuachaill.'

Do shuíos féin ar an seitil agus me ag faire air. 'Níl aon bhreac sa bhfarraige is suaithinsí ina cháilíocht féin ná an deargán,' ar seisean, sa tslí 's nach mar a chéile é agus aon cheann eile acu le réiteach don ngoile. Caithfidh tú gotha a chur ort féin chuige, agus is é chéad rud a chaithfidh tú a dhéanamh an gainne a bhaint ar dtúis de.' Agus b'shiúd leis lena sciain, agus é ag obair i gcoinne an ghainne óna eireaball aniar go dtí n-a sceolmhaigh go dtí go

raibh sé nochtaithe glan aige. Do ghearraigh sé ansan é, agus do
ghlan, agus do nigh sé aníos as dhá uisce é.

'Anois, le cúnamh Dé,' ar seisean, 'an chéad deargán eile a
bhéarfaidh tú ón Inneoin chugham, b'fhéidir go bhféadfá breith
ar do sciain tu féin chuige.'

'Dá mbeadh dorn prátaí againn anois,' a dúrt, 'do bheadh ana-
bhleaist againn.'

'Prátaí nua agus deargán úr,' ar seisean, 'is beag an rath ar an
dtigh ná fuil a leithéid de bhéile ann anois agus arís. Téanam,' a
dúirt sé, 'ní fearr ag déanamh ghas iad. Bainfeam béile astu.'

Confadh ceart a bhí orainn araon chun na bprátaí nua ós i
dtaobh leis an gcíste buí a bhíomair le coicíos. Císte é seo a dheintí
le min bhuí agus le huisce te agus is maith an chairb ná tabharfadh
sé a dóthain le déanamh di chun é a mheilt. Le ciota bainne géir
a dh'ithimíst é, más ea ní rómhór an teaspach a bheadh ina dhiaidh
ort, geallaim dhuit.

Garraí beag ar chúl an tí go mbíodh na prátaí aige ann, suas le
céad talún nó mar sin, cré mhín ann agus mianach na gainnimhe
inti. Leaba na Dúlach taobh an tí aige fé léith na gréine i gceart,
gan aon easpa leasaithe uirthi, ná aon easpa tindeála ach oiread
faid a bhí Tomás ina bun agus lúth na ngéag aige. Na scioltáin
péactha sarar cuireadh dhon chré iad, agus a cheann curtha aníos
ag an gcéad ghas roim Lá 'le Pádraig. Mo léir, agus ní fhéadfadh
gan prátaí a bheith fúthu anois! Rud a bhí.

Nuair a bhí an béile bainte aige, agus mise ag cnuasach uaidh,
do stad sé scaitheamh beag. Ansan do chrom, agus do thóg lán a
chroibh den gcré, agus do scaoil go fada bog righin trína mhéir-
eanna í. 'Sin í cré an Oileáin agat, a bhuachaill,' a dúirt sé. 'Mo
chré-se agus do chré-se, agus ná dearúd choíche an méid sin.'

Sin mar a bhí age Tomás an uair sin, agus is pictiúir de é ná
fágfaidh mo chuimhne go deo. A chuid seilge ar mhuir agus ar
shliabh críochnaithe; a chroí sa deireadh thiar i ndorn beag cré
ina bhfeaca sé a phréamh agus a dhúchas. A dhrom tugtha dhon

161

bhfarraige aige agus é ina phríosúnach anois aici, an fharraige a thug beatha dho tráth, do féin agus dá ál. Scaipeadh na mionéan tagtha ar an ál anois agus gan fágtha aige astu ar fad ach an gearrcach aonair, a mhac Seán.

Ní raibh aon bhean fé dhéin an tí age Tomás an uair sin, ach é féin agus an mac. Más ea, ní gan banóirseach a bhí an tigh an lá a bhí sé féin ann, ná an mac ach oiread leis. Is deas mar dh'éiríodh an císte a dhéanfaidís leis an ngabháil a bhí de shíor ag géarú sa chúinne cois na tine acu. Is maith slachtmhar mar a chuirfidís cliath ar stoca dhuit nó paiste ar sheanabhróig. Do bhíodh an tigh ar nós na scillinge acu araon, gur bhreá led chroí bualadh isteach chúchu, na fallaí comh geal le lítis agus an ghainnimh thirim ón dTráigh Bháin thiar leata ar an úrlár, díreach mar a bhíodh againn féin sa Chom. Níor chás dhuit rí a chur chun boird ann.

Duine neamheontach a bhuailfeadh chughat isteach le linn do bhéile, ach do bhí daoine ann a dheineadh é; ní hé galar aon áite amháin é, is dócha. 'Ba dheacair duinn aon ní a bheith againn gan fhios díbh,' a déarfadh Tomás leis an gcéad bhleácach a chuirfeadh a cheann thar doras, agus ná feadaraís an d'aonghnó nó dáiríribh a bhí sé. Ach sara mbeadh aga ag an bhfear eile aon smaoineamh doimhin a bheith déanta ar an gcarúl aige, do bheadh an tarna carúl age Tomás do: 'Tá fáilte rómhat má thugais aon ní cóir leat,' a déarfadh sé. 'Aon scéal nua,' gan dabht, a bheadh i gceist aige.

'Ná suífeá farainn? Tá ár ndóthain go léir anso agus fuílleach,' a déarfadh sé. Seananós ab ea é sin riamh sa Bhlascaod, pé thiocfadh isteach, cuireadh a thabhairt chun boird do chun grásta Dé a roinnt leis na comharsain. Duine a ghlacfadh leis, agus beirt, triúr, ná déanfadh.

Ní bhíodh uathu ar aon nós ach leathscéal chun a bheith istigh age Tomás mar do bhainidís cuideachta an domhain as ag éisteacht lena chuid eachtraithe agus ag baint suilt as an gcainnt ghiorraisc agus as an bhfocal gonta a bhíodh ar bharr a theangan aige i gcónaí dhóibh, agus ar an slí a dheineadh sé spior-spear de scéal achrannach éigin le carúl cainnte dá chuid féin. 'B'fhearra dhuit slaimice dhen ndeargán a chaitheamh go dtí an ngadhar san,' a déarfadh fear, 'agus gan é a bheith ansan agat ag siollagar leis an ocras.' Ag séideadh fé gan dabht.

'Gadhar,' a déarfadh Tomás, agus solas an imris tagtha ina shúil láithreach. 'Nach minic a chualamair trácht thar ghadhar gunna nó gadhar fiaigh, ach gadhar gearra? Níor chualaís riamh é, a dhuine, ach madra!' Agus dob shin an *coup de grace* aige sin go ceann tamaill é. Ach ní raibh an nimh ina bhuille mar ní raibh sí ann féin, agus níor thúisce an fogha tugtha aige ná an comhluadar go léir ins na trithí, agus Tomás féin comh maith leo.

Sin mar do bhíodh acu, faobhar á chur ar theangain, agus faobhar á bhaint de theangain, saobhfhocal anois agus focal deisbhéalach arís á fhreagairt, trasnáil, spaiste scailéithin, b'fhéidir, amhrán, scéal, greas veidhleadóireachta nó babhta rinnce ar lic an tinteáin, aon ní in aon chor a chiorródh an oíche, ach fuaimeant a bheith leis. Mar ní bhroicfeadh Tomás le haon ní gan fuaimeant agus éifeacht a bheith leis; ní raibh aon ghnó aige dhon éagantacht ná dhon áiféis.

Níorbh aon tigh airneáin é, áfach, mar sin. Agus nuair a bhraithfeadh na scriosúnaigh seo ag druideam le déanaí é, do chuiridís díobh i dtaobh éigin eile mar do bhíodh a fhios acu gur mhaith le Tomás a pheann a tharrac chuige nó tamall léitheoireachta a dhéanamh. Do bhí sé ana-cheanúil ar a léitheoireacht ó thug sé suas an fharraige go mórmhór, agus ba chuma leis cuideachta aige nó uaidh go minic faid a bhí na leabhra aige. Agus is aige a bhíodar idir Bhéarla agus Ghaeilge, cuid mhaith acu fachta mar bhronntanas aige ó aon stráille a gheobhadh an bóthar chuige agus gur mhaith leis a shaothar a chúiteamh ar shlí éigin leis.

Anairde ar an gcúl-lochta a bhí na leabhra so aige mar an raibh teas agus cluthairt acu, agus gan aon bhaol go dtiocfadh fúthu ann. Do bhíodar caite anso anairde, gan riar gan eagar, i ngabhal a chéile, agus gur dhóigh leat go raibh an chreachaill a bhí trasna fén gclabhar ag cneadaíl fúthu. Nuair a mhothaigh na leabhra so ná raibh slí a ndóthain acu anairde mar a rabhadar, do scéitheadar leo anuas ar na seilpeanna a bhí ar an dá fhalla ar gach taobh, agus do chuireadar fúthu ansúd ar a suaimhneas. Déarfainn go raibh na céadta acu ann, agus nuair a dh'fhiafrófá de Thomás an raibh a leithéid seo nó siúd de leabhar aige, ní bheadh an tarna focal air; do shínfeadh sé a lámh anairde, agus ó áit éigin i gcorp na cúlach san do thairgeodh sé chuige an leabhar, dá mbeadh sé ann.

Ar leataoibh ós na seilpeanna so, do bhí clog ornáideach a thug a mhac, Tomás, trócaire air, abhaile ó Mheirice chuige i dtuairim na bliana 1920. Ar chláirín i lár baill eatarthu, agus í ina seasamh ansúd go buacach, do bhí dealbh cré-umha de Bhanrín Tailteann a bronnadh air as ucht a leabhair. 'Bean an Tí' a thugadh sé féin uirthi, idir mhagadh agus dáiríre, mar dhe, ach do bhí tuairim againn gur threise ar an ndáiríre ná ar an magadh a bhíodh sé.

Lagmheastúil go leor a bhíodh sé ar aon Ghaeilge ach ar 'Ghaelainn an Oileáin.' 'Cad déarfá le Gaelainn an Choma,' a déarfadh leámharaic éigin leis nuair a bheinn féin sa chomhluadar, d'iarraidh é a tharrac orm, gan dabht.

'Ní raibh faic sa Chom riamh,' a déarfadh sé, 'ach bualtaí bó agus éitheach.'

'Agus Criothanaigh,' a déarfainn féin thar n-ais, mar dhe, ná ligfinn leis é.

'Más ea, is é an t-ocras a chuir na Criothanaigh ann, na daoine bochta, agus ní haon locht orthu é. Ní rabhadar mar sin tamall go dtí gur cuireadh as a dtalúintí méithe theas ar Uíbh Ráthach iad . . .'

'Nach minic a chualamair Com an Éithigh á thabhairt air,' a déarfadh alfraits eile, ar eagla go bhfuarfadh an scéal.

'Ní raibh aon Ghaelainn acu san riamh, mo ghreidhin iad, ach Gaelainn na hainnise,' a déarfadh sé, 'ná ag éinne eile ar an míntír. Conas a bheadh, agus an bhriolla-bhrealla atá i mbéal an dorais acu?' Tagairt é seo do bhaile an Daingin agus an Béarla briste a bhí á labhairt ann.

Tar éis an allagair agus an leibhéil go léir, áfach, nuair a bhínnse ag fágaint Thomáis is minic a chínn scailp uaignis air, ach ná ligfeadh sé air é. 'Ní dócha go mbeadsa rómhat an chéad uair eile a thiocfair,' a deireadh sé liom, agus eagla an tseanduine air. Ansan do bheireadh sé ar láimh orm, agus nuair a scarainn leis geallaim dhuit nach folamh a bhíodh sí ach bille púint inti go minic. Níor lig sé folamh ón dtigh riamh me. Ní lú ná a thána thar n-ais chuige riamh ná go mbeadh sé ina sheasamh ar an bpábhaille lasmuigh dhá thigh rómham, agus áthas an linbh air go rabhas chuige arís.

Is minic agus is lánmhinic an cheist á chur orm cad é mar shórt duine é an Criothanach, óm chuimhne féin air. Chun na fírinne a rá, níl ach cuimhne an ógánaigh agam air, mar nach mór thar dhá bhliain agus fiche a bhíos an uair a chonac go deireanach é. Agus bhí sé titthe go maith an uair sin féin, dhá bhliain sarar cailleadh é, agus é ag dul chun siagaíochta de réir an lae as san amach. Dá bhrí dhuit, an lá is fearr dá bhfeacas-sa é go rabhas féin ró-óg chun aon phictiúir baileach de a thabhairt im cheann liom.

Ach instear scéal ina thaobh agus é ar leabaidh a bháis ins na blianta deireanacha so, agus cé nach údar me leis an scéal so, caithfidh mé a rá go bhfaighim blas na fírinne go maith air. Sagart éigin a bhuail isteach chuige a chualaidh ná raibh sé ar fónamh, chun focal misnigh agus furtacha a thabhairt do i gcomhair an bhóthair fhada a bhí roimis. Pé cúraimí spioradálta a bhí eatarthu araon, an uair a bhí an clabhsúr curtha orthu san, do labhair an sagart.

'Sea, a Thomáis,' a dúirt sé, 'tá do shaothar go léir taobh thiar díot anois, agus is é toil Dé an obair seo. Ach tá aon ní amháin déanta agat nach cás duit féin a bheith mórálach as: do scríobhais ceann des na leabhra is fearr dár scríobhadh riamh sa teangain Ghaeilge, agus leabhar go mairfidh a cháil nuair a bheir féin ar shlí na fírinne.'

D'iompaigh Tomás chuige, agus d'fhreagair: 'Agus ní hionadh san,' a dúirt sé.

Is é a mhalairt ar fad de fhreagra go raibh an sagart ag súil leis, gan dabht, agus do baineadh an bonn uaidh. Ach ní bhainfeadh dá mbeadh an aithne aige air a bhí againne. Bhí an greann go láidir ann, níos mó ná mar do thug sé leis ina chuid scríbhneoireachta. Bhí séimhe agus síbhialtacht an duine uasail ag roinnt leis, agus cineál thar cuimse. Do chífeá é seo nuair a bhuailfeadh leanaí chuige isteach, agus an tslí ina gcuireadh sé cainnt agus comhrá orthu, rud atá deacair do dhuine fásta a dhéanamh gan tréithe suaithinseacha a bheith ann atá in easnamh ar chuid mhaith againn. Duine gealgháireatach, gnaíúil, so-ranna, sochma, ab ea é, agus pé gruaim a bhí ann é brúite ar a chroí aige, díreach mar do léirigh sé dhuinn ina chuid scríbhneoireachta: níor dhein sé scéal mhadra na hocht gcos riamh den gcúrsa is mó a ghoill air.

Ach thar aon cheann eile dá thréithe, dob í an ceann atá léirithe ag an eachtra so thuas an ceann is treise is cuimhin liom féin ann. Tréith na cocaíochta, mar a thabharfaidh mé uirthi. Seo rud a bhí go láidir ann, an chocaíocht so. Is cuimhin liom lá a bhíomair araon le chéile, mar gur minic a bhímíst ar chúrsa éigin, brí focail nó bunús abairte nó brí cheart seanfhocail agus a leithéid eile. Ba bhreá lena chroí spaiste beag argóna agus áitimh ar nithe mar seo, agus i mbaois mo chuid óige féin níorbh fhearra liom rud de, ach gur chuma liomsa an ceart a bheith agam nó gan a bheith. Níor mheasa mise ná é, is dócha, agus aon cheann a thógaint díom, ach dálta scéil na troda agus an uaignis, ní foláir. Ar aon nós, do bhíomair le chéile an lá so áirithe nó go raibh an scéal ag dul chun teasaíochta eadrainn, seanfhocal éigin nach cuimhin liom anois agus gan a bhrí go sonaoideach lena chois, mar mheasas féin. Ach más ea, níor mhar sin do Thomás. Do leag sé siúd an bhrí a bhí aige féin síos leis. 'Agus, a bhuachaill,' a dúirt sé go prínseapálta, 'caithfidh tú géilleadh dos na húdair.'

'Ainmnigh na húdair dom,' a dúrt thar n-ais, 'agus géillfead.'

D'éirigh sé dá chathaoir sa chúinne, agus thug aghaidh orm i lár an úrláir. 'Nár chóir go n-aithneofá iad nuair a bheifeá ag cainnt le duine acu,' ar seisean. B'shin í an bhliain díreach a bhí *An tOileánach* tar éis teacht amach. Bhíos curtha im éisteacht d'aon bhuille amháin aige, ar mh'anam.

Do dhuine ná raibh puinn den rud go dtugaimíd oideachas inniu air fachta aige, bhí ardmheas ar stair agus ar chúrsaí staire aige. Is minic a chuireadh sé ceisteanna ar chúrsaí staire chugham féin, agus nuair a théadh díom aon fhreagra cóir a thabhairt do— mar ná raibh aon chaitheamh i ndiaidh an abhair chéanna riamh agam—ba lagmheastúil a bheadh sé ar an sórt scolaíochta a bhí á fháil agam. Bhínnse ag cáineadh na staire, gan dabht, gach éinne agus a chúram féin air. 'Dhera, a dhailtín gan mheabhair,' a deireadh sé, 'an té ná fuil stair aige, níl aon ní aige.' Nach aige a bhí an ceart, nuair a chuimhním inniu air.

Ar an slí chéanna, bhí ana-mheas ar an scoláireacht agus ar na scoláirí cearta aige. 'Daoine uaisle' a thugadh sé orthu so, nuair ná tabharfadh sé ar na gnáthchuairteoirí a thagadh dhon Oileán ach 'Laethanta Breátha' ar nós na coda eile againn. 'An duine uasal ó Londain' a thugadh sé ar Robin Flower. 'An tArd-Ollamh agus an t-óganach uasal' a thug sé ar Karl Marstrander, a thug tamall in éineacht leis ar staidéar. 'A chuallacht bhréa uasal na Gaeilge' atá i ndán eile aige orthu go léir le chéile, agus 'Na taoisigh a thigheann chughainn thar sáile.' Agus mar sin de. Ach san am chéanna, bhíodh mórtas air agus beagán den gcocaíocht úd ó chianaibh ann a rá go gcaithfidís seo teacht ag triall air féin agus saibhreas a bheith aige dhóibh le roinnt orthu.

Ní dóigh liom go bhfeaca riamh Tomás caite sa chúinne, mar bheadh seandaoine eile, ag féachaint isteach sa tine agus gan focal as. Níor chiúnaigh an tseanaois riamh comh mór san é. Do chaith-feadh sé a bheith ag gíotáil ar fuaid an tí ag cur feiste ar rudaí, nó dá mbeadh sé ina shuí leis an iarta in aon chor is ag cainnt agus ag caibideal a bheadh sé, agus maran mbeadh éinne aige a dhéanfadh é sin leis, is ag léamh nó ag scríobh a bheadh sé. Cé go mbeadh sé ag eachtraí go maidean duit ar chúrsaí an tseanashaoil, níorbh aon tseanchaí é: ealaí ab ea í sin nár thaithigh sé riamh. Tá a rian so ar a chuid scríbhneoireachta agat, agus cé gurb as an seanchaíocht a fáisceadh é ní bhfaighir puinn di aige. Dob é do dhícheall dosaen seanfhocal ar fad a fháil ina shaothar; ach geobhair an ghéarchúis a bhí go smior ann, agus má loirgíonn tú geobhair an chocaíocht leis.

XVII

Is MÓ RUD atá curtha síos sa chúntas so agam, olc agus maith. Tá
súil agam go maithfear an t-olc dom; ní har mhaithe leis féin a
chuireas síos é ach gur theastaigh uam a chur i gcéill nach naoimh
ar fad sinn. Ach, má bhí ár ndeamhain agus ár ndiablaíocht againn
sa pharóiste, do bhí ár naoimh agus ár ndea-mhóid againn ann leis.
Is corr an chine sinn ar an slí seo, trí chéile. Tá an mheidhréis mar
screamh ar an ngruaim againn, agus an bhoirbeacht mar screamh
ar an gCríostaíocht. Níl aon teanga eile ar an saol, is dócha atá
comh lán d'eascainithe agus, ag an am chéanna, comh líonmhar i
bpaidreacha agus atá an Ghaeilge. Má theastaíonn uait íde béil a
thabhairt ar dhuine tá tarrac ar shaibhreas agat ná fuil aon teora
leis. Más maith leat duine a dhamnú (mar a dheineann lucht an
Bhéarla), níl aon tslí is neamhchúisí chun é a rá ná 'Go raibh an
diabhal ort!' Tá Dia nó diabhal éigin ins gach aon uaillbhreas,
agus beidh na liodáin seo de ghlanmheabhair agat sara raghaidh
tú ar aon scoil.

Ach, ar chuma éigin, níl aon nimh cheart iontu tar éis an tsaoil.
Níl an ceann is measa acu in aon ghaobhar do bheith comh nimh-
neach ná comh borb le focail áirithe a chloisfeá age Béarlóirí.
Agus ina gcoinne ar an láimh eile, chun pé nimh atá iontu a
bhaint astu is dócha, tá liodáin eile de nathanna diaganta agus de
bheannachtaí ag rith tríd an gcainnt agus nár tháinig a ndeireadh
fós. Agus ní haon nath agat an dá rud a chlos taobh le taobh san
abairt chéanna. 'What an extraordinary alliance of the sacred and
the profane,' mar a dúirt aon fhear amháin a tháinig dhon cheantar
agus a thug fé ndeara don chéad uair é.

Dhá shaibhreas iad so nár thugas-sa féin riamh isteach dhon
Bhéarla liom. Níl aon ní sa Bhéarla mar iad. Agus nuair a thos-
naíos á labhairt do bhraitheas uam iad. Dá b'é Béarla Chorca

Dhuibhne a dh'fhoghlamóinn, áfach, bheadh a mhalairt de scéal agam, mar do thugadar san cuid mhaith dhe leo nuair a dh'iompaíodar ar an tarna teangain. Maran gcreideann tú me, éist le fear an Daingin agus é ag cur as.

Ach ní hé sin an Béarla a teannadh liom féin in aon chor nuair a thosnaíos ar a bheith ag casadh leis, ach Béarla na scoile agus an choláiste. Béarla mín, ceannsaithe go raibh níos mó de bhaint le léann aige ná le saol daoine. Ana-stóinsithe ar fad a fuaireas é nuair a thosnaíos ag teacht isteach air. Dúrt liom féin, aon teanga ná fuil aon olc inti ná féadfadh puinn maith a bheith inti ach oiread. Agus mothaím de locht fós uirthi é. Níl aon dabht air, éinne go bhfuil miotal agus faghairt an Ghaeil ann, ní teanga in aon chor do san í. Is teanga í don nduine stóinsithe, fuaimeanta, dúr. Agus is teanga don bhfear ábalta leis í. Ach faighimse an-iasachta fós í, agus is dócha gur fada a gheobhad.

Níl aon ní is crosta a thagadh orm féin i dtosach ó thaobh na foghraíochta ná s bog nó z an Bhéarla. Nuair a theastaíodh uam 'he is' a rá, is é deirinn 'he iss,' agus mar sin de. Bhí san maith go leor ar scoil Dhún Chaoin againn ós é a bhí againn go léir agus gan aon locht ag éinne air. Ach nuair a chuas i gcoláiste is ansan a bhraitheas an bhacaí orm don chéad uair. Nuair a thosnaínn ag léamh amach ós ard, do chloisinn fear anso agus ansúd thar mo ghualainn ag sciotaraíl gháirí fúm. Do lasainn suas le náire i gcónaí nuair a dh'imíodh so orm, agus do mhionnaínn go dtiocfadh lá éigin go mbeinn comh maith le fear. Do chuireas rómham aon ní amháin ansan: go bhfoghlamóinn Béarla níb fhearr agus níba ghalánta ná mar bhí ag éinne acu. Agus nuair a thiocfadh an lá san go ndíreoinn orthu agus ná fágfainn thíos ná thuas orthu é.

As san amach, do chuireas mo chuid Gaeilge laistiar díom ar fad. 'Ní raibh sí ag éinne riamh,' a dúrt liom féin, 'ach ag an bhfear iargúlta. Ach féach an dream go bhfuil an Béarla acu,' a dúrt, 'agus an meas go léir orthu. Neosfadsa dhóibh fós.'

Bhíos ag treabhadh liom ar dalladh. Do thugas fé ndeara comh muiníneach agus a bhí buachaillí na Galltachta astu féin. Agus comh gealgháireatach agus a bhíodar. Iad ag imeacht ina ndreamanna agus gan aon ní á thaidhreamh dóibh ach an éagantacht. Iad ag cainnt ar mhná agus ar phictiúirí agus ar chúrsaí spóirt; ar na rinncí is déanaí a bhí tar éis teacht i bhfaisean; ar na tiúineanna nua a bhí tagtha amach don waltz agus don foxtrot agus don charleston. Ní raibh aon tuiscint agamsa dos na rudaí seo an uair sin, agus is dócha gur mar sciath chosanta orm féin a bhínn á ligeant orm ná raibh aon tsuim agam iontu. Ní raibh agamsa ach na ríleacha agus na poirt agus na haeranna móra fada, lán de chastaíocha uaibhreacha, a bhí tugtha ón gCom agam liom.

Is cuimhin liom aon oíche amháin i 1929 go raibh coirm ceoil sa choláiste againn, gach éinne ar a phíosa beag féin ag cur le siamsa na hoíche. Do hiarraidh orm féin amhrán a rá, agus do gheallas go ndéarfainn. Ceann a bhí cumtha agam féin a dúrt. Tá sé imithe as mo cheann anois. Ach tá a fhios agam gur aníos as mo bhrón agus as m'uaigneas a chumas an ceann céanna agus é pósta le haer atá comh caointeach le gol na forachan. 'Tá véarsa agam le n-áireamh atá go cásmhar croíbhrúite,' dob shin í an chéad líne, is cuimhin liom go maith. Bhíos óg, saonta, agus bhíos mustarach go maith as mo chumadóireacht. An dream so go bhfuil an Béarla go léir acu, a dúrt liom féin, agus an meas ar fad acu orthu féin. féach an bhfuil éinne a thiocfadh in aon ghiorracht dom ghaisce!

Nuair a dh'fhéachaim siar inniu ar an oíche sin, agus gach aon ní a chur i dteannta a chéile, is maith atá a fhios agam an dream a chuir suas me chun an chúraim seo gur le barr neamhaistir a dheineadar é, agus chun go bhféadfaidíst a bheith ag aithris ina dhiaidh san ar an ngamall bocht ó thóin an Choma, agus ar a shean-nós. Is minic ina dhiaidh san a chloisinn iad ag déanamh aithris orm eatarthu féin. Do chuireas uam mo shean-nós as san amach. Do tháinig an ghráin dhearg agam air, agus do luíos isteach leis an ealaí nua a bhí acu féin d'iarraidh a bheith comh maith leo. Ach tá a fhios agam nár dh'éirigh riamh liom san iarracht san.

171

Níor ghrás riamh an rud iasachta de bhrí nár dh'éirigh liom teacht isteach i gceart air, b'fhéidir. An rud a bhíonn sa tsmior age duine, is dócha. Dob é dálta fir an veidhlín ó chianaibh agam é, ní hionadh san.

Dob é an dálta céanna ag an mBéarla féin é. An rud a chuireas rómham a dhéanamh, níor dh'éirigh liom.

Is geall le hoilithreacht dom leithéid anois dul siar mar seo ar shaol atá imithe i ndearúd uaidh. Táim rófhada imithe as chun aon ní a bheith fágtha agam ach an macalla, mar táim rite isteach i saol eile le blianta fada. Cuimhne an linbh agus an ógánaigh atá fanta agam ar an seanashaol, lán de rómánsaíocht agus de nóiníní samhraidh. Gach aon phictiúir a thagann chugham aniar daite le draíocht, ceo brothaill ós cionn gach binne, agus gan aon ní fíor ina cheart, ach é mar do bheadh ceann des na póstaeirí úd a chífeá go minic age stáisiún traenach d'iarraidh tu a mhealladh go dtí tír abhfad i gcéin. Dob shin ionú agamsa é nuair a thugas fén gcúntas so a chur síos, ní raibh na pictiúirí ag rith chugham mar dob áil liom é. Is é an *mirage* a bhí ag éirí idir me agus léas i gcónaí agus am mhealladh chuige, agus gan ach fásach fada fánach ag bualadh liom, go minic agus gan aon tobar ann agus me spallta leis an dtart.

Níl aon oidhre orm, ar shlí, ach an púncánach a thagadh abhaile tar éis a dheich mbliana fichead a bheith tugtha i Meirice aige. A intinn agus a mheon múnlaithe as an nua ar fad. Ní hamháin go bhfuil an teanga leathchaillte aige, ach tá a dhúchas agus a phréamhacha imithe le taoide an tsaoil iasachta uaidh. Is é an trua a bheith ag faire orthu so nuair a dh'fhilleann siad d'iarraidh teacht ar na snáithíní agus iad a shnaidhmeadh, agus, nuair a théann díobh, gan aon lagadh orthu ach ag lochtú agus ag cáineadh an tsaoil as ar fáisceadh ar dtúis iad.

Cé gur mar sin do chuid mhaith des na púncánaigh seo é ní hamhlaidh dóibh go léir. Do tháinig duine acu abhaile dhon Chom—deartháir do Stail—tar éis trí mbliana agus dathad a bheith tugtha thall aige. Dob fhada an aga í, ach ina dhiaidh san agus uile ní mór thar n-a dhóthain Béarla a bhí aige tar éis a thurais chun a chúraim a dhéanamh dá raghadh sé dhon Daingean! Dob ait liom féin é seo mar obair, agus is dócha gurb ait leatsa leis é. Ach is seo mar a tharla. Do chuir so fé i dtigh lóistín suarach éigin i gcúlshráid in éineacht le Gaeilgeoirí eile a bhí muinteartha dho féin, comhgarach dá gcuid oibre. Ar an job céanna a bhíodar go léir ag obair, agus bí siúrálta dhe nárbh aon ardú céime ná gradaim a bhí i ndán don ndream san, agus nárbh é a shanntaíodar. B'fhéidir gur Giúdach fir ó Éirinn, agus gan aon easpa Gaeilge air, a bhí mar landlord orthu, agus gurbh é an dálta céanna ag an saoiste a bhí orthu é. Agus ó tháinig an focal isteach sa chainnt orm, is focal é 'saoiste' ná fuil sa chainnt againn, ach a tháinig anall leis na púncánaigh chéanna, é sin agus an focal 'brícléir' ar an bhfear a bhíodh ag ligeant na bríce. Nár dheas an cumadh é?

Ar aon chuma, dob shin é a saol súd ar chúlshráideanna Bhoston nó Springfield nó New York, pé áit a mbíodh staidéar thall orthu, agus dob é an duine fánach go raibh éirim na heachtraíochta agus na bóithreoireachta ann a raghadh níos faide i gcéin. An dream a bhí ar aon lóistín le fear an Choma, dob é an port céanna acusan é gach aon lá dá n-éirídís dá leabaidh. Amach chun oibre i dteannta a chéile agus thar n-ais tráthnóna arís ar an gcuma chéanna, agus gan á labhairt acu eatarthu féin de shíor ach Gaeilge. Bualadh amach, beirt nó triúr acu, san oíche agus isteach sa tigh óil chéanna mar an raibh focail éigin dá dteangain féin ag an dtabhairneoir chun fáilte a chur rómpu agus tindeáil orthu; Giúdach eile ó Éirinn, b'fhéidir, nár chreid i soiscéal na sclábhaíochta agus an tsuarachais mar a chreid an chuid eile, rud nár thógtha air.

Is fuiriste an saol so a shamhlú, an té a thug tamall i gcathair é féin agus a chonaic an dá thaobh den tsaol ansan. Sruth mhór an tsaoil ag caitheamh tríthi agus conach dearg uirthi, agus gach éinne ar a bhuille d'iarraidh a bheith inti; ach an poll guairneáin anso agus ansúd ar na bruachaibh agus gan éinne i mbun corraí as ach coimeád siar ón gcuilithe agus ón bhfíoch agus ón bhfuirse.

Tá na poill seo i mBaile Átha Cliath comh maith agus tá siad i New York agus na daoine iontu ag casadh mórdtímpeall go mbíonn mearathal ina gceann. Gan á fheiscint ná á dhéanamh in aghaidh an lae acu ach an rud ceannann céanna, créatúirí an chíorthuathail. Buail síos ó Dhroichead Uí Chonaill ar aon taobh den abhainn agus breithnigh lucht na gcoinigéar agus mar a mhaireann siad 'their lives of quiet desperation,' mar a dúirt an té a dúirt é.

Níl aon dabht ná gur i gcoinigéar den bpátrún céanna a bhí a rapach ansúd thall age fear an Choma, agus dálta an choinín nach fada ó bhaile óna rapach a gheofá aon am é. Do bhí a inse bheag féin aige, agus thareis sin ní raghadh. Agus nuair a tháinig an fear san abhaile tar éis a thrí mbliana agus dathad, ní nach ionadh, níorbh aon stróinséir é. Níorbh aon atharrach saoil do é ach atharrach ionaid. Is amhlaidh a bhí sé ar ais ina sheanachoinigéar agus i seilbh na rapaí a bhí fágtha ina dhiaidh aige nuair a dh'imigh sé go Meirice. Dob shin a raibh ann, agus níorbh aon trua a leithéid. Is é an té gur scuabadh na cosa uaidh agus a dh'imigh le sruth an trua.

Ach níl aon phaiste i mBaile Átha Cliath, mar a bhfuilimse le chúig mbliana fichead anois, go bhféadfadh duine aithris a dhéanamh ar an bpátrún saoil a chaith an fear eile úd ón gCom i New York. Dá mbeadh, b'fhéidir gurb ann a gheofaí me, agus b'fhéidir eile nach ea, n'fheadar. Is minic a ghealann mo chroí anso nuair a dh'fhéadaim bualadh isteach go tigh ósta áirithe, nó go tigh tabhairne, b'fhéidir, agus an Ghaeilge á spreagadh im thímpeall. Tá a leithéidí seo d'áiteanna ann ach iad a bheith fánach go leor i gcathair atá lán de Ghaeilge ach í a thabhairt ar barr uisce. Nuair a dh'fhaighimse ag ráthaíocht mar seo í is breá liom dul ar mo chor ina treo ar feadh scaithimh agus blaise den tsíoraíocht a leanann í a bheith agam faid a mhaireann sé. Ach ní fada a bhíonn sé ag scaipeadh; pé acu is túisce pócaí folamh nó fear an tabhairne a bheith ag sclamhaíl ort d'iarraidh an dorais a thabhairt duit, sin deireadh leis, don oíche sin ach go háirithe.

Éinne a bhí foighneach liom agus a lean go dtí so me, tabhar-faidh sé an méid seo fé ndeara gan mise á chur ar a shúile dho: gur san aimsir chaite atáim ag labhairt i gcónaí, nach mór. Is mar sin a bheartaíos é ó thosach agus tá mo chúis luaite lena chois agam, me a bheith imithe amach as an saol atá breactha agam agus é go léir a bheith fágtha im dhiaidh agam. Tá an saol céanna ann fós dá bhféadfainnse a bheith im chuid de. Ach níl aon neart agam air, agus caithfidh mé a bheith sásta leis an bhfothgheábh a thugaim orthu nuair a dh'fhaighim fuascailt óm chuid oibre sa chathair seo, ar nós a bhfuil eile de sclábhaithe ann, uair éigin i gcaitheamh an tsamhraidh.

Rud eile a dheighil amach ón saol céanna me gur rop mo mhuintir isteach i gcoláiste me comh luath agus bhíos tagtha chun coinnlíochta. Is dócha gur cheapadar ná raibh aon abhar feirmeora acu, rud ab fhíor dóibh. Más ea, ní dh'fhágfadh san féin go raibh abhar sagairt acu, agus ní cheaptar ach don bhfíorbheagán an ghairm uasal san. Is anso, i gColáiste Bhréanainn Chill Airne, a fuaireas mo chéad amharc ar an saol mar a bhí sé lasmuigh den nGaeltacht; dob é mo chéad uair soir thar Daingean é. Is ann a labhras Béarla don chéad uair. Do teannadh dóthain aon fhear báin de Ghréigis agus de Laidean liom ann, agus breis ~~agus dóthain éinne d'ocras;~~ n'fheadar cad scéal inniu aige é.

Do mheasas rud eile a dhéanamh ó thosach deireadh an chúntais seo, leis: ná brúfainn me féin isteach sa phictiúir seo, ach féach gur dh'éalaigh orm sa deireadh thiar ar fad. Níl de leathscéal agam ar an mbotún san ach gurb amhlaidh a dheineas é le súil 's go maithfí dhom pé locht a gheofar ar an gcúntas de dheascaibh m'aineolais ar an saol a chuireas rómham a bhreacadh, agus me a bheith comh fada san gan caidreamh agam air. Má mhúsclaíos taisí éinne as a suan ar a leabaidh shíoraí, is le barr buannaíochta orthu a dheineas é, mar dob iad mo mhuintir féin iad tamall. Go dtuga Dia dhuinn go gcasfam go léir ar a chéile sa bhall a ceapadh duinn nuair a sheolfaidh ár n-árthach féin na hAird ó Thuaidh.

Anne Yeats a dhearaigh an clúdach

Tá an leabhar seo bunaithe ar shraith de chláir a craoladh ó Raidió Éireann. Bhuaigh an scríbhinn duais aitheantais i gcomórtais an Oireachtais 1959.

Tá na foilsitheoirí faoi chomaoin ag an Aire Airgeadais, a thug cead dóibh leas a bhaint as mapaí an tSuirbhéireacht Ordanáis chun críche an mhapa sa leabhar seo. Tá siad buíoch den Aire Gnóthaí Eachtracha, a thug cead an pictiúr ar leathanach 55 a chur i gcló sa leabhar seo, agus de Choiste 'Feasta,' a thug bloic ar iasacht.

arna chló ag
Muintir hÉalaithe Teoranta
Baile Átha Cliath